La búsqueda espiritual

La búsqueda espiritual

Serie Aventura del espíritu 1

Summit University

Porcia Ediciones
Barcelona   Miami

Título original:
THE SPIRITUAL QUEST
from the Sacred Adventure Series, by *Mark L, Prophet, Elizabeth ClareProphet, and the Staff of Summit University.*
Copyright © 2003, 2018 The Summit Lighthouse, Inc. All rights reserved

Summit University Press
63 Summit Way, Gardiner, Montana 59030 U.S.A.
Tel: 406-848-9500 - Fax: 406-848-9555 - Email: info@SummitLighthouse.org - Web sites: www.SummitUniversityPress.com; www.SummitLighthouse.org; www.SummitUniversity.org

This book was originally published in English and printed in the U.S.A. This Spanish edition is published under the terms of a license agreement between PORCIA EDICIONES, S.L. and SUMMIT UNIVERSITY PRESS.

Todos los derechos reservados. Este libro se publicó originalmente en inglés y se imprimió en EE.UU. Esta edición española se publica según las condiciones del contrato suscrito por PORCIA EDICIONES, S. L. y SUMMIT UNIVERSITY PRESS.

Summit University, Summit University Press, ❧ , The Summit Lighthouse, Teachings of the Ascended Masters (Enseñanzas de los Maestros Ascendidos), *Pearls of Wisdom* (Perlas de Sabiduría), Keepers of the Flame (Guardianes de la Llama), Science of the Spoken Word (Ciencia de la Palabra hablada) y el logo Threefold Flame 🔥 (Llama Trina) son marcas registradas en la oficina de patentes y marcas de EE.UU. y de otros paises. Todos los derechos de uso están reservados.

Traducción: Judith Mestre Masdeu
Copyright © 2023 Porcia Ediciones, S.L.
Reservados todos los derechos. Publicado por

PORCIA EDICIONES, S.L.
Aragón 621 4º 1ª, Barcelona - 08026 (España)
Tel./Fax (34) 93 245 54 76
E-mail: porciaediciones@yahoo.com

Diseño de cubierta: © 2023 Porcia Ediciones, S.L.
Diseño y composición de la imagen de la portada: Raquel Morrisson.
Imagen portada: © 2000 Summit University
La imagen de la portada tiene los derechos para su uso reservados. No puede ser usada o copiada en ningún medio, incluso por fotocopia, sin autorización del autor, quedando sometida cualquier infracción a las sanciones legalmente establecidas.

1ª edición: mayo 2023
Depósito legal: B 11261-2023
ISBN: 978-84-19473-02-8

Impreso en España
Printed in Spain

Índice

Summit University

Una universidad de religión, ciencia y cultura

Summit University es una escuela de misterios moderna que enseña la ciencia de las religiones del mundo y los verdaderos cimientos espirituales de toda ciencia. Los estudiantes no solo se sumergen en el estudio de una variedad de materias en los campos de la espiritualidad, la religión, la cultura y la ciencia, sino que experimentan la autrotrascendencia por medio de la introspección, la reflexión, la meditación y el aprendizaje interactivo.

En 1971, Mark Prophet fundó Summit University en Santa Bárbara (California) con el fin de ofrecer cursos exhaustivos acerca de salud, espiritualidad y conciencia. Se estableció como una universidad de religión, cultura y ciencia y sirvió de trampolín para publicar las enseñanzas originales de los maestros ascendidos durante casi tres décadas. Los maestros ascendidos son los seres iluminados, los santos y adeptos de Oriente y Occidente que se han liberado de la rueda del renacimiento. Mientras han estado encarnados, han influido en la política, la religión, la cultura, la literatura y la ciencia con miras a suministrar una plataforma en constante crecimiento para la evolución humana. En sus filas se encuentran las luces espirituales de las principales religiones del mundo, tales como el Buda Gautama, Jesucristo, la Virgen María, Krishna, Zaratustra, San Francisco y Bodidarma. En el entorno de escuela de misterios que ofrece Summit University, los maestros ascendidos enseñan a los estudiantes a seguir sus pasos, a cambiar el mundo y a volver a unirse con su fuente divina.

En Summit University, el estudiante dispone de diversas herramientas, incluido material de estudio para autoaprendizaje, cursos online y seminarios presenciales. Nuestra escuela online ofrece cursos extensivos de distintos niveles, desde cursos de media jornada hasta estudios monográficos más profundos. También ofrecemos una amplia variedad de retiros y seminarios en diferentes idiomas en nuestro campus en Gardiner (Montana, EE.UU.) y otros lugares del mundo. A medida que nuestra universidad crece, seguimos añadiendo nuevos programas al curriculum de estudio.

Para más información sobre Summit University:

www.SummitUniversity.org

Introducción

Bienvenido! ¡Bienvenida! Eres una de las personas entre miles en el planeta interesadas en tomarse la vida como una aventura del espíritu, una de las relativamente pocas que están dispuestas a embarcarse en el viaje ascendente del alma para su desarrollo y realización personal.

La serie Aventura del espíritu está dirigida a aquellos cuya meta es la automaestría. Se compone de varios libros que proporcionan un mapa para recorrer con éxito el viaje espiritual de la vida mientras vives el día a día. *La búsqueda espiritual* es el primer volumen de la serie. Su visión general de la esencia de la realidad y del ser no es solo teórica, sino práctica. El libro proporciona herramientas y técnicas para ayudarte a afrontar las dificultades diarias, llevar a cabo tu misión singular y reunirte con el Espíritu.

La búsqueda espiritual te ofrece un panorama del propósito de la vida y presenta una guía gradual hacia el sendero espiritual desde la perspectiva de los maestros ascendidos: nuestros hermanos y hermanas mayores de la luz. Los maestros ascendidos vienen de todas las épocas, culturas y religiones. Fueron una vez personas que vivían en la Tierra al igual que nosotros. Después de muchas vidas de devoción y empeño espiritual terminaron su estadía terrenal y ascendieron al reino espiritual de donde habían venido. Algunos de estos seres magistrales han elegido permanecer conectados con almas como nosotros para guiarnos en el sendero del desarrollo espiritual y la autotrascendencia del alma. Sus enseñanzas ofrecen respuestas esclarecedoras a las preguntas básicas de la existencia: ¿Quién soy? ¿De dónde vengo? ¿Por qué estoy aquí? ¿Cuál es el objetivo final de mi vida? ¿Por qué estoy pasando por mis circunstancias actuales? ¿Por qué estoy con un determinado grupo de personas? ¿Por qué pasan cosas malas a la gente buena y viceversa? ¿Qué pasa después de la muerte? ¿Existía yo antes de nacer? Si es así, ¿dónde estaba? ¿Por qué la vida es una «aventura del espíritu» de todas formas?

La vida es una aventura del espíritu porque somos seres espirituales que transitan y viven en un mundo físico, mientras hacen frente al tirón del alma que anhela reunirse con el Espíritu a la vez que vive las experiencias mundanas de la existencia corpórea. *La búsqueda espiritual* explica cómo comprometerse de lleno con este desafío y cosechar los mejores frutos de tal experiencia. Los temas se presentan en orden secuencial, construyendo así una comprensión acumulativa y proporcionando profundas percepciones acerca de la vida como una búsqueda sagrada. Se incluyen lecturas, meditaciones y ejercicios para el autodescubrimiento como parte de esta senda a fin de ayudarte a descubrir nuevas dimensiones de ti mismo. Al seguir esos pasos prácticos, puedes entrar más rápido en esa espiral ascendente de la evolución del alma. Valiosos consejos y claves te ayudarán, con el tiempo, a alcanzar una transformación increíble de la conciencia.

La humanidad evoluciona de manera lenta y gradual, y la mayoría de la gente está contenta con ese ritmo. Le preocupa sobre todo suplir sus necesidades básicas, ir en pos de metas personales o buscar comodidad material o riqueza. Si bien es cierto que algunas de esas cosas son por supuesto necesarias, las personas con inclinaciones espirituales reconocen que hay algo más en la vida y buscan maneras de alimentar su alma. La fuerza motriz que yace tras esa búsqueda es la chispa del Espíritu que está en su interior y que las impulsa hacia una comprensión más elevada y puede elevar su alma a impresionantes alturas de realización espiritual. La cumbre del ser es la meta de la conciencia iluminada, y requiere emprender una escalada en la conciencia.

La serie Aventura del espíritu presenta una hoja de ruta —incluidos atajos poco conocidos— para aquellos que desean acelerar su desarrollo espiritual. Seguir este sendero a veces no es fácil, pero desde luego es una vía rápida hacia la victoria personal. Muchos individuos han llegado a este punto de comprensión con un deseo profundo de cambiar su vida, adquirir autocontrol y tener más influencia sobre sus circunstancias. Algunos simplemente han querido dominar mejor sus emociones para no verse afectados tan fácilmente. A otros les gustaría que brotaran alegría, felicidad, perdón y otros estados positivos por decisión propia más que por influencia de otros. La mayoría se ha cansado de la existencia material y descubre que las verdades que conoce por intuición se verifican en estas enseñanzas. Unos pocos van en busca de un curso autodidacta sobre psicología espiritual. Y también hay quien ha llegado a estas enseñanzas porque quiere

saber cómo puede cambiar el mundo, cómo puede ser un actor entre bastidores que manifiesta cambios positivos en la Tierra mientras trajina con sus asuntos cotidianos. La Aventura del espíritu colma todos estos deseos y aún más. Sea lo que sea lo que te trajo a este sendero de anhelo por el Espíritu, te damos la bienvenida.

La serie Aventura del espíritu está patrocinada por The Summit Lighthouse, una organización que sigue la tradición de sabiduría que echó a andar con la Sociedad Teosófica en el siglo XIX y continuó durante el siglo XX con la Sociedad Agni Yoga, la Actividad YO SOY y el Puente a la Libertad. En 1958, Mark L. Prophet fundó The Summit Lighthouse bajo la dirección del maestro ascendido El Morya. Mark y su esposa, Elizabeth Clare Prophet sirvieron como mensajeros de la Gran Hermandad Blanca[1] mediante esta actividad. Por medio de estos dos mensajeros, los maestros ascendidos hicieron públicas magníficas enseñanzas que constituyen la base de este curso.

Cada capítulo de *La búsqueda espiritual* comienza con un apartado titulado «Enseñanzas y sabiduría de los Maestros», el cual transmite preciada información que responde a las preguntas esenciales de la existencia. En esta sección, aprenderás acerca del misterio de tu origen divino y tu destino como individuo espiritual y magistral, que trasciende el tiempo y el espacio. Verás qué aspecto tienes como ser cósmico y aprenderás a conectarte de manera eficaz con tu Espíritu. Explorarás cómo sanar y purificar cuerpo, mente, emociones y alma, y aprenderás a no dejarte afectar por las influencias negativas. Descubrir el modo de expandir tus centros espirituales, los chakras, contribuirá a aumentar tu fuerza vital; y entender de qué manera fortaleces tu aura te empoderará. Te darás cuenta del modo por el cual tus elecciones basadas en el libre albedrío generan karma —bueno y malo— y descubrirás cómo saldar los errores que has hecho sobre la marcha.

---

1. El adjetivo blanca no se refiere a la raza sino al aura (halo) de luz blanca que rodea a los miembros de la Gran Hermandad Blanca.

Examinarás la reencarnación como parte singular del misterio de la vida. Por último, conocerás desde dentro la ascensión: la victoria sobre la existencia mortal que es la meta suprema del ser.

Aunque la sabiduría que imparten los maestros con sus enseñanzas provee enormes conocimientos y transmite grandes cocientes de luz a las almas aspirantes, a fin de cuentas, el sendero espiritual es un proyecto autodidacta. Conocedores de este hecho, los maestros ascendidos han ofrecido una valiosa técnica nueva para tu viaje espiritual: la ciencia de la Palabra hablada. Esta herramienta espiritual única puede por sí misma acelerar tu progreso hacia la automaestría personal más lejos de lo que jamás hayas podido imaginar. Con ese fin, cada capítulo tiene un apartado dedicado específicamente al uso y el desarrollo del dominio sobre este avanzado sistema. Los temas se han ordenado siguiendo una espiral ascendente, en la cual cada materia sucesiva es más avanzada que la tratada anteriormente, de modo que es mejor leerlas en orden secuencial.

La búsqueda espiritual ofrece una comprensión a la vez profunda y placentera del propósito de la vida capaz de inculcarte un nuevo sentido de misión y destino. Las enseñanzas de los maestros ascendidos pueden literalmente transformar la vida. ¡Ojalá que la aventura del espíritu sea un viaje alegre y esclarecedor hacia las alturas y las profundidades de tu alma y hacia el magnífico propósito que la vida te tiene reservado!

Saca el máximo provecho de Aventura del espíritu

La serie Aventura del espíritu es un curso independiente a distancia que te guía progresivamente y de forma práctica a través del desarrollo espiritual y te ayuda a asimilar las enseñanzas de los maestros ascendidos. Las siguientes recomendaciones y consejos pueden ayudarte a disfrutar al máximo de esta Aventura del espíritu y cosechar un óptimo beneficio del curso.

Recomendaciones

1. **Ten a mano un diario.** Este curso se ha diseñado para seguirlo acompañado de un diario o cuaderno donde puedas poner por escrito tus percepciones y reflexiones. Quizá desees reservar una parte del diario para escribir las experiencias con los ejercicios y meditaciones, y mantener otra parte para tomar notas.

2. **Empieza por el principio.** Los capítulos y libros del curso Aventura del espíritu son progresivos, y se basan en la información que se ha dado anteriormente. Es más fácil que obtengas lo máximo si comienzas por el capítulo 1 de *La búsqueda espiritual* y avanzas gradualmente. A continuación leerás la *Aventura sagrada 2: Conoce a los maestros* del mismo modo.

3. **Adopta una postura activa.** La participación activa mejorará tu habilidad a la hora de asimilar la sabiduría y las enseñanzas de los maestros ascendidos. Hacer los ejercicios y las meditaciones también contribuirá a que el material sea más aplicable a tu vida diaria. Recomendamos que utilices estas herramientas en su totalidad reservándote suficiente tiempo y espacio para practicarlas.

Consejos para el estudio

1. **Determina un tiempo fijo para estudiar y mantenlo.** Establece un ritmo de estudio estable dejando un espacio de tiempo entre una y otra sesión de estudio para obtener los máximos beneficios.

2. **Fija tiempos cortos de estudio.** Ciertas investigaciones han demostrado que dedicar períodos cortos al estudio proporciona un aprendizaje más eficiente.

3. **Revisa el material con frecuencia.** Si pasan varios días entre las sesiones de estudio, te resultará útil efectuar un breve repaso de la información que has leído recientemente. El proceso de revisión refuerza los conceptos importantes y te prepara para captar ideas nuevas. Si has tomado notas sobre el material puedes estudiarlas antes de continuar. Asimismo, retomar el modo en que interpretaste tus experiencias a través de los ejercicios y las meditaciones puede ayudarte a refrescar lo que aprendiste y aportarte nuevas percepciones.

4. **Remítete al glosario.** Éste (al final del libro) contiene definiciones y explicaciones de muchos términos que pueden resultarte novedosos o extraños. No dudes en acudir a dicho glosario siempre que un término o concepto nuevo te parezca poco claro.

CAPÍTULO 1
TU ORIGEN DIVINO

Inicios cósmicos

¿Cuál es el propósito de la vida? Desde tiempos inmemoriales, la gente se ha estado haciendo esta pregunta. Los intentos de darle respuesta han llenado volúmenes de textos filosóficos y teológicos. Los maestros ascendidos nos han dado claves inestimables para comprender este misterio cósmico, claves capaces de abrirnos las puertas a la realización del anhelo que nuestra alma tiene de unidad con el Espíritu. Este capítulo presenta la esencia de estas enseñanzas en cuanto al propósito de la aventura sagrada de la vida.

Conocer nuestro origen divino nos proporciona una mayor percepción de la razón de ser. Dicha percepción, que fue colocada dentro de cada uno de nosotros cuando fuimos creados, nos puede ayudar a desvelar los secretos de nuestro destino individual. Asimismo, nos revela la naturaleza verdadera que poseemos como seres espirituales con una impresionante energía en forma de luz a nuestro alcance. Empezaremos explorando cómo conectar con la energía cósmica que teníamos en el principio, y que está con nosotros también ahora.

Desenmarañar el misterio de la creación

¿Quién no ha levantado la vista al cielo en una noche clara y ha empezado a hacerse preguntas sobre los misterios del universo? Es fácil sentirse insignificante ante tal inmensidad. Y, sin embargo, los cielos conservan el secreto de la magnitud de nuestro ser. Los maestros ascendidos nos han dado una hermosa visión de la conexión de toda vida y la suprema importancia de cada individuo para el todo divino.

Las investigaciones científicas por sí mismas no van a desvelar el plan maestro y el lugar que ocupamos en él. Mientras la ciencia moderna ha comenzado a corroborar ciertos elementos de las antiguas teorías sobre la creación (como son las del hunduismo y el judaísmo místico), nosotros tan solo podemos empezar a desenmarañar el misterio del ser yendo al lugar donde Dios vive en nuestro interior. Ahí podemos descubrir nuestra misión única, la cual es capaz de contribuir a mejorar el mundo y acelerar la evolución de nuestra alma.

Tanto el proyecto original de la misión como la luz espiritual que necesitamos para llevarla a cabo fueron colocadas en nuestro interior cuando fuimos creados. Así que el primer paso para comprender este potencial innato consiste en regresar a la fuente: nuestros padre y madre divinos.

El Dios Padre-Madre alumbra miles de millones de hijos e hijas

En el centro del universo se encuentra el eje de toda creación física y espiritual: el Gran Sol Central, la fuente principal de la energía que sostiene átomos, células y el hombre. De este sol espiritual proceden sistemas solares, galaxias y miles de millones de hijos e hijas de Dios. En este libro, la palabra «Dios» no se refiere a un ser antropomórfico, sino al Espíritu omnipresente de luz, amor y poder que impregna el universo y que es la fuente de toda vida. El Espíritu es asimismo la polaridad masculina de la divinidad. Para que la creación tenga lugar, la polaridad femenina debe estar también presente. Por tanto el Creador es, por necesidad, Padre y Madre. De modo que conocemos a nuestros Padre y Madre divinos por el nombre de Dios Padre-Madre.

Al principio, Dios pronunció la Palabra que originó la creación. Cuando dijo «Hágase la luz», y la luz se hizo, Dios Padre-Madre expandió la luz al dar a luz chispas individuales del Espíritu. Cada una de ellas era una réplica exacta de la energía del ser de Dios, la cual se halla en perfecta polaridad (más y menos, yin y yang, masculina y femenina, alfa y omega). Así es como fuimos creados al principio, como pura energía a imagen y semejanza de Dios. Al crearnos, Dios multiplicó Su amor y Su luz.

Otro nombre que utilizamos para denominar la chispa del Espíritu es Presencia YO SOY. Proviene del nombre sagrado de Dios que le fue dado a Moisés en la zarza que ardía en el Monte Sinaí. Cuando Moisés preguntó a Dios acerca de Su nombre para decírselo al pueblo de Israel, Él respondió: «YO SOY EL QUE YO SOY». Así que la Presencia de Dios individualizada para cada uno de nosotros se llama Presencia YO SOY. Es la parte más elevada de nuestro ser y está formada por la misma esencia que el gran YO SOY EL QUE YO SOY, que es Dios. La Presencia YO SOY es un campo energético de la conciencia de Dios, que está encima de nosotros y nutre nuestro cuerpo, mente y alma. Quien la alimenta es la luz del Gran Sol Central.

«Somos uno» es una frase muy común que usan los hermanos y hermanas de la luz de todo el mundo. Y ciertamente así es. La Presencia YO SOY de cada uno de nosotros nos conecta a unos con otros y con Dios. Aunque Dios ha multiplicado Su Presencia miles de millones de veces, sigue siendo un todo indiviso. Puesto que cada uno de nosotros lleva una porción individual de Dios, todos estamos unidos en ese Espíritu único. Hay una red de luz tejida alrededor de todos los seres de luz de la Tierra. En verdad, nunca estamos solos, sino que somos parte de la manifestación de Dios.

La Presencia YO SOY que estuvo con nosotros en el momento de nuestra creación todavía está con nosotros, aunque no siempre pueda parecer que es así. El cuerpo denso que tenemos es un grito lejano de la ligereza de Espíritu que en el principio experimentamos. Puesto que nos hemos acostumbrado tanto a la existencia material, a menudo nos olvidamos de que somos poderosos seres espirituales viviendo en este cuerpo físico. Lo que un día fue un estado natural del ser, sin realizar ningún esfuerzo, resulta hoy día arduo, siquiera de abordar. Una forma de experimentar esta ligereza de Espíritu es mediante la entonación del OM (Aum).

Entona el OM y regresa al corazón de la creación

Una herramienta para acelerar esta experimentación de la unidad con el Espíritu es el canto del OM, el cual se utiliza para adentrarse en el núcleo ígneo del ser. Los vedas hindúes lo describen como la sílaba eterna a partir de la cual todo lo que existe fue creado. OM es el sonido original de la creación, y nunca ha dejado de sonar en el cosmos. Este sonido universal acelera nuestros átomos y nos lleva de nuevo hacia el punto de creación en el Espíritu.

La entonación del OM puede ayudar a abrir los centros espirituales (chakras) para que el sonido de la creación fluya a través de nosotros y nos eleve al plano de una conciencia superior. La meditación que sigue, «Experimenta la unidad con el Espíritu», incluye el sonido del OM para facilitar el paso de una percepción externa de uno mismo como ser físico a la percepción interna de uno mismo como ser espiritual.

La meditación es una forma de incrementar nuestra conexión con el Espíritu y con la conciencia de luz espiritual que es nuestro derecho de nacimiento. A continuación te presentamos una meditación que puedes realizar para intensificar esa vivencia de comunión con tu Presencia YO SOY y con la Presencia de Dios en toda la creación.

Meditación: Experimenta la unidad con el Espíritu

Esta meditación se ha diseñado para ayudarte a experimentar la unidad con el Espíritu de tu Presencia YO SOY y con el Gran Sol Central, y para que sientas la energía divina fluyendo a través de ti. Busca un lugar tranquilo donde nadie te moleste y siéntate en alguna postura de meditación que te resulte cómoda.

1. Ve a tu interior y dirige la atención al corazón. Si quieres, coloca la mano encima para ayudarte a dirigir allí tu conciencia.

2. Respira profundamente varias veces hasta que te sientas en calma y centrado (o centrada).

3. Con los ojos cerrados, entona el OM para experimentar tu unidad con toda creación. Al sentirte más relajado/a, empieza a sentir como si no pesaras, como si flotaras en el espacio.

4. Visualiza tu Presencia YO SOY como un sol de fuego blanco, palpitante e irradiando rayos de deslumbrante luz.

5. Siente como si te fundieras con la brillante luz de este sol. Conviértete en una parte de la energía y luz que penetra el cosmos.

6. Mientras sigues en esta visualización, di la primera afirmación tres veces para afirmar la unidad con el Espíritu. Luego canta la segunda afirmación seis veces para afirmar la unidad con tu Dios Padre-Madre.

YO SOY **Alfa y Omega en el núcleo de fuego blanco del ser.** (3 veces)
Mi Padre y yo somos uno. Mi Madre y yo somos uno. (6 veces)

7. Entona el om para sellar tu meditación.

8. Regresa a la percepción de ti mismo como persona que está en un cuerpo físico.

9. Anota en tu diario o cuaderno los cambios de conciencia que observes en ti.

Preparación para la misión planeta Tierra

Lejos de haber sido creadas como idénticas réplicas unas de otras, el Creador dotó a cada Presencia YO SOY con el potencial de manifestar individualidad y creatividad. Cada uno de nosotros recibió una misión especial, así como todo lo que necesitáramos para alcanzar el éxito al llevarla a cabo.

Veamos cómo se nos individualizó para esa misión. Si bien la esencia de cada Presencia YO SOY es la misma, Dios imprimió en el núcleo de fuego de cada uno un proyecto original único. Puede compararse con el patrón que se imprimió en el ADN de nuestras células cuando nuestros padres terrenales nos concibieron. Del mismo modo en que este patrón terrenal determina el color de nuestro pelo y de nuestros ojos y si seremos altos o bajos, el proyecto espiritual que recibimos al principio contiene la clave para la realización del destino único en la vida. El proyecto original contiene el plan divino, es decir, el propósito del ser para el cual fuimos creados.

Ello no significa que nuestro destino esté predeterminado. Dios proporciona la matriz, el patrón. Una vez que descendimos a la materia, dependía de nosotros completar el esbozo usando el libre albedrío, el cual Él nos dio a fin de que pudiéramos ser cocreadores en el universo. Las obras maestras que creamos, las artes curativas que practicamos o las causas por la libertad y la justicia que abrazamos dependen enteramente de nuestra creatividad individual.

Lo que somos es el regalo que Dios nos ha dado. Aquello en lo que nos convertimos es nuestro regalo a Dios.

ANÓNIMO

Este es un modo en que Dios se trasciende continuamente y expande Su identidad. Cuanto más realizamos nuestro potencial interno mediante nuestras propias creaciones, tanto más se expande el cosmos del Espíritu y la materia. El Dios Padre-Madre alumbra chispas del Espíritu y las dota con la semilla de luz y energía que necesitarán para salir y expresar su individualidad. Cualquiera que sea padre o madre entiende la responsabilidad y el riesgo inherente a tan peligrosa empresa. Traemos niños a este mundo y les damos amor y orientación, pero, al final depende de ellos lo que hacen con su vida cuando se marchan de casa y se valen por sí mismos.

Volvamos ahora al Gran Sol Central...

La creación de las llamas gemelas

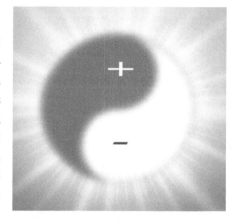

¡Es cierto que todos tenemos una pareja que surgió del cielo! Nuestra búsqueda perpetua del amor perfecto en la Tierra es el resultado de haber vivido la integridad original y la dicha que conocimos junto a nuestra llama gemela en el Espíritu. Al principio fuimos creados íntegros: alfa y omega, masculino y femenino. A fin de facilitar la comprensión, la recién creada chispa del Espíritu (la Presencia YO SOY) puede visualizarse como una esfera de luz, un Tai Chi que da vueltas, y que contiene la misma polaridad masculina y femenina que el Creador. Las dos mitades de ese todo son llamas gemelas unidas en el Espíritu como un todo.

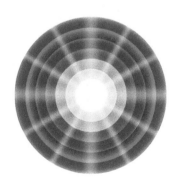

Cuerpo Causal

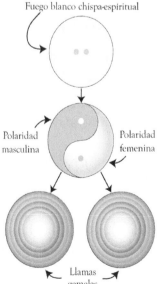

Fuego blanco chispa-espiritual

Polaridad masculina

Polaridad femenina

Llamas gemelas

Todavía en el Espíritu, la Presencia YO SOY de cada llama gemela viajó por el interior del Gran Sol Central, el cual se compone de esferas de luz que contienen los atributos infinitos de la conciencia de Dios. A medida que la Presencia YO SOY viajaba a través de cada una de las esferas, iba reuniendo a su alrededor ovillos de luz similares a los del Gran Sol Central. Según cuál fuera el proyecto divino original estampado en su núcleo de fuego, la Presencia magnetizaba hacia sí los atributos y las virtudes diversas que servirían al alma como foco para sus futuras iniciaciones en el mundo de la materia. La luz y energía de dichos atributos formó los anillos de color denominados el Cuerpo Causal, tal como figura en la ilustración.

Tras haberse formado el Cuerpo Causal, las llamas gemelas se separaron en dos esferas idénticas —las polaridades alfa y omega—, con objeto de desplazarse hacia la materia. Cada llama gemela consistía en una Presencia YO SOY individualizada rodeada por el cuerpo causal. Y, sin embargo, cada mitad del todo comparte un idéntico proyecto divino original que se imprimió en el núcleo de fuego blanco de la chispa del Espíritu al ser creada. En esencia, es así como fuimos creados en el Espíritu con nuestra llama gemela, nuestra «otra mitad».

Puesto que las llamas gemelas comparten un idéntico proyecto divino original, también comparten una misión común. Aunque después prosiguieran por caminos de creatividad divergentes, el patrón electrónico de su identidad seguía siendo el mismo. La identidad que comenzamos a formar con nuestra llama gemela a medida que íbamos pasando por ciclos en el Gran Sol Central, constituyó la base del don único y especial que podemos ofrecer al mundo. Aquí empieza el viaje de la vida al lado de nuestro amado o amada.

Del Espíritu a la materia: el viaje del alma

Llamas gemelas

¿Cómo pasamos de ser chispas del Espíritu que flotaban en el espacio junto a nuestra llama gemela, a almas que vagan por el planeta Tierra buscando a la pareja «única y verdadera»? Cuando culminó la creación del Cuerpo Causal, nos alejamos del Gran Sol Central. La Presencia YO SOY de cada llama gemela proyectó un rayo de sí misma a la materia, y este fue el inicio de lo que conocemos como el alma. En la materia, un alma lleva la polaridad masculina, y la otra, la polaridad femenina de ese todo. No obstante, con independencia de que el alma habite en un cuerpo masculino o femenino, es de por sí femenina, ya que constituye la contraparte femenina, en la materia, del Espíritu del cual proviene.

La vida en un entorno diferente —la materia— requería una total adaptación a las nuevas circunstancias. Así como la Presencia YO SOY reunió ovillos de luz para formar la identidad del núcleo del alma, esta, tras salir del núcleo de fuego de la Presencia, reunió a su alrededor ovillos de materia para formar los «vehículos» que necesitaría para desplazarse en su nuevo reino. Dichos vehículos son: el cuerpo, la mente, la memoria y las emociones.

El control de las energías de tiempo y espacio

Nos sumergimos en la materia con libre albedrío y con autoridad para «asumir el control de la Tierra». «Tierra» o «materia» significa simplemente densificación o *materia-lización* de las energías del Espíritu en la dimensión de tiempo y espacio. La razón de ser en «el aula» de la Tierra es ante todo el desarrollo, mediante el consentimiento dado en libertad, de las cualidades magistrales que son parte del carácter y ser de Dios. Pasar las pruebas en el aula de la Tierra requería la obtención de maestría en esta nueva dimensión, a medida que íbamos trabajando en el desarrollo del proyecto divino original que yacía en nuestro interior y que nos fue dado al nacer.

Cuando nuestra alma se alejó del Gran Sol Central, vivíamos en un tipo de materia que no era densa y pesada como la que nos rodea hoy. Vivíamos en una dimensión denominada plano etérico, que es el plano de más alta vibración en la materia. Nos movíamos en etéricos y ligeros cuerpos en ese mundo celestial, guiados por los maestros y por la luz de nuestra propia Presencia divina. Nuestra vida, en sus momentos iniciales en la materia, era dichosa. Muchos de nosotros vivíamos en escuelas de misterios de la Gran Hermandad Blanca en lugares distantes del universo, donde caminábamos y hablábamos con los maestros y vivíamos en armonía con nuestra llama gemela y con nuestro prójimo.

¿Alguna vez sientes que la vida en este mundo es «pesada»? ¿Por qué? En un cierto punto de nuestra evolución hubo seres que nos embaucaron llevándonos a ignorar la dirección divina de nuestra Presencia divina. Se trata de la vieja alegoría del Jardín del Edén. Gracias al libre albedrío, nos dejamos tentar por el pensamiento de que había una manera mejor que el camino interno con Dios. En ocasiones, nos colocamos en situaciones comprometedoras y elegimos equivocadamente, lo que trajo como consecuencia una bajada de vibración y una mayor densificación de nuestro cuerpo en la materia. Es decir, hicimos karma negativo, y desde entonces, hemos estado pagando el precio por ello.

El karma y los cuerpos densos crean la ilusión de que estamos separados de Dios, pero no es así. Somos tan parte del Espíritu ahora como lo éramos al principio, y este viaje a través de la vida es nuestra oportunidad de demostrarlo.

¡Misión posible!

Vida tras vida hemos deseado volver al estado de amor e integridad que conocimos en el «Edén». Los altibajos que nos han asaltado en el camino nos han llevado a realizar grandes cosas, así como enormes progresos espirituales. Aunque nos represente un cierto esfuerzo, podremos volver al paraíso una vez que comprendamos y apliquemos el conocimiento consistente en comulgar con la Presencia YO SOY. Como advierte el Maestro Ascendido El Morya: «¡El camino ascendente bien vale los inconvenientes!»[2]

El amanecer de la era de Acuario está provocando un gran despertar espiritual en la Tierra. Se profetizó que sería una era de libertad, paz e iluminación, una época de progreso tecnológico unido a desarrollo espiritual. Puede ser un tiempo en el que el espíritu de cooperación se convierta en la base de toda relación.

---

2. *Pearls of Wisdom*, vol. 25, n° 56, pág. 505. *Pearls of Wisdom* son dictados y enseñanzas de los maestros ascendidos transmitidos por los mensajeros Mark y Elizabeth Clare Prophet en forma de publicación. Los dictados no son lo mismo que mensajes recibidos por un médium o una canalizacón. Cuando recibe un dictado, un mensajero eleva su conciencia al nivel del Yo Superior. Simultáneamente, el maestro baja su vibración a ese nivel, de modo que se produce un encuentro y una fusión de las dos conciencias. El maestro entonces dirige la entrega hablada de las enseñanzas.

Nos referimos a cooperación entre Dios y la humanidad y entre las personas de todo el mundo. Es una era que nos da la oportunidad ideal de acelerar espiritualmente y percibir nuestra misión divina de modo que podamos unirnos como una poderosa fuerza para la curación y el cambio planetarios. ¡Es el momento de sintonizar con nuestra misión y de ir a por ella! De todas formas, a veces es más fácil decirlo que hacerlo.

Cuando nuestra alma descendió a la materia, la misión que debíamos llevar a cabo era transparente como el cristal. Sabíamos con exactitud lo que debíamos hacer. Hoy día, tal sentido de misión puede haberse vuelto vago e incompleto, y la vivencia de esa constante Presencia del Espíritu quizá haya disminuido. Ya sea que seamos conscientes de ello o no, el alma retiene el recuerdo de su misión y de su unidad con la divinidad. Recuerda una libertad de movimiento y de conciencia que no suele experimentar en el mundo físico.

Nuestra alma ha ido evolucionando mientras ha permanecido en el universo material. Recién llegados a la materia, todavía teníamos muy cercana la Presencia de Dios con nosotros, y la percibíamos muy bien. Durante todo el tiempo que nos mantuvimos conectados con la Presencia YO SOY, todo marchó correctamente. Pero después de miles de años de evolución, las almas se fueron adaptando cada vez más a las vibraciones más densas de la materia. Ello conllevó una pérdida del recuerdo de nuestro origen —el hogar de luz— y de nuestra verdadera naturaleza como seres espirituales. La percepción se nubló y muchos perdieron de vista su fuente y la misión que habían venido a cumplir.

> *Así que nos pusimos en marcha para ser la manifestación de nuestro Dios Padre-Madre, hijos e hijas capaces de revestirse de más y más de esas esferas de luz que llamamos conciencia divina. Es pues, en esta conciencia divina donde vivimos, nos movemos y donde está nuestro ser. No debemos olvidarlo. [...]*
>
> *Con la misma seguridad con la que estamos aquí ahora, estamos aún en ese [Gran] Sol Central. Estamos en el principio y en el final. No tenemos que llegar a ninguna parte, hemos de saber quiénes somos ahora. Este concepto inmaculado absoluto de nuestra identidad es la base de toda búsqueda.[3]*
>
> ELIZABETH CLARE PROPHET

Muchas vivencias que tienen lugar en el mundo material sirven para despertar de nuevo en nosotros el recuerdo del llamado del alma. Nos recuerdan que existe un propósito sagrado para la vida en la Tierra y una misión divina que cumplir. Hay quienes ya conocen su misión y están trabajando para llevarla a término. Otros siguen buscando y parece que se hallan a la espera de la verdadera misión para ponerse manos a la obra. A menudo una sola vida se dedicará a llevar a cabo únicamente una parte de la misión. Tomemos un ejemplo. Puede ser la misión de un individuo ser un gran cantante de ópera, pero ello requerirá de cierta preparación, como por ejemplo, pasarse una vida enseñando a un grupo de niños a cantar o aprender a tocar el piano. Además,

---

3. *Pearls of Wisdom*, vol. 29, nº 25, pág. 228.

quizá tengamos que dedicar una parte del tiempo a actividades y relaciones que nos ayuden a resolver el karma del pasado a la vez que seguimos esforzándonos en realizar nuestra misión.

Todos somos emisarios de Dios. Es la razón de nuestra venida a la Tierra. Cada persona tiene que desempeñar un papel especial en el servicio a la vida, ya sea mediante un determinado trabajo o impartiendo una virtud esencial. Todos sostenemos puntos de luz, de identidad, como representantes que somos de Dios. La clave para descubrir el significado de la vida en la Tierra y nuestra misión especial consiste en entrar en contacto con nuestro más elevado yo espiritual: la Presencia YO SOY.

> *El alma sale con destino a un gran y noble bien [...]. El alma debe siempre apresurarse hacia esa meta, para que pueda, por todos los medios disponibles, alcanzar el bien eterno que es Dios, pues por ello fue creada.*[4]
>
> MEISTER ECKHART

Seguimos estando conectados a nuestra Presencia YO SOY, tal como estábamos cuando descendimos a la materia. Las respuestas a preguntas como «¿quién soy?» y «¿por qué nací?» pueden obtenerse al meditar en la Presencia. Puede ser de ayuda repetir la meditación «experimenta tu unidad con el Espíritu» siempre que sientas la necesidad de renovar la conexión y recibir dirección de «arriba». En estos capítulos se comentan otras claves y técnicas valiosas (incluida la ciencia de la Palabra hablada) para dirigir la luz de la Presencia hacia nuestra vida. En ocasiones, la Presencia YO SOY puede revelar a cada uno su misión personal: la contribución más importante que podrás hacer a la vida. Con esfuerzo y un poco de ayuda de nuestros amigos (en la Tierra y en el cielo), es posible obtener la victoria y al final proclamar: «¡Misión cumplida!».

Práctica: Traba amistad con tu Presencia YO SOY

La forma más sencilla de empezar a comulgar con tu Presencia YO SOY es iniciando una conversación con esa parte superior de tu conciencia, tal como harías con tu más íntimo amigo. Cuando necesites ayuda en cualquier asunto simplemente di: «Amada Presencia YO SOY, por favor, ayúdame a [*espacio para tu petición*].»

Éste es un ejercicio básico que puedes recordar en caso de necesidad. Adquirir la costumbre de pedir ayuda a tu Presencia YO SOY quizá sea el mejor hábito que alguna vez hayas adoptado. Pongamos un ejemplo. Estás esforzándote en hallar el modo más idóneo de resolver un problema con tu computadora, o en encontrar un objeto que has puesto en algún otro lugar. Pues bien, la próxima vez que te halles en esta situación o una similar, sigue los siguientes cuatro pasos a ver qué ocurre:

1. Interrumpe lo que estés haciendo y relájate.

2. Pide de forma reverente a tu Presencia YO SOY que te ayude.

4. Meister Eckhart, citado en Matthew Fox, comp., *Breakthrough: Meister Eckhart's Creation Spirituality in New Translation* (New York: Doubleday, 1980), pág. 107.

3. Intenta de nuevo hallar la manera de solucionar el problema que tenías o de encontrar lo que estabas buscando.

4. Da las gracias a la Presencia YO SOY por la ayuda.

Las primeras veces quizá desees anotar el resultado de dicho experimento en tu diario. Te asombrará la enorme proporción de éxitos que este método te proporcionará al conferirte iluminación y dirección en numerosas situaciones. En determinados casos, como sería intentar encontrar una cinta de pelo de un traje de boda, que perdiste en el mar, es posible que no obtengas el resultado deseado. A veces, la razón de que no obtengamos exactamente aquello por lo que hemos estado rezando es que hemos de aprender alguna lección de esa pérdida o dificultad, que nos ayudará a crecer. Al fin y al cabo, nuestra Presencia YO SOY sabe lo que más nos conviene. Pero sí puedes estar seguro de que cada ruego se escucha y recibe respuesta, aunque no veas la prueba tangible.

No existen límites a lo que puedes llegar a saber y hacer si te arrodillas ante tu Presencia divina, tu Presencia YO SOY. Sabe, entonces, que cumplir los mandamientos y obedecer las leyes de Dios son requisitos previos a la obtención de Sus dispensaciones.

Ello no obstante, no rehuimos de nadie. Ayudamos, hasta donde nos permiten las leyes de Dios, a todos quienes miran al sol de su Presencia YO SOY y exclaman: «Oh, Dios, ¡ayúdame!».

Es todo lo que tenéis que decir. Este ruego es suficiente. Autoriza la entrada de los ángeles en vuestra vida y un cambio radical para poner las cosas en orden y orientaros hacia el camino que os conduzca a llevar a cabo la misión con que Dios os ha ungido en este momento.[5]

ARCÁNGEL RAFAEL

La alegría de volver al hogar

Es universal el sentimiento de anhelar el calor y bienestar que se encuentran en el hogar. Esta palabra —hogar— adquiere un significado nuevo cuando se contempla desde el punto de vista del viaje del alma. El alma no estaba destinada a permanecer por siempre en la Tierra. Se nos dio la oportunidad de estar aquí durante un cierto tiempo con el fin de experimentar determinadas iniciaciones, obtener maestría en el ámbito de tiempo y espacio, y expresar el amor del Creador a medida que llevábamos a cabo nuestra misión individual. Una vez que superásemos nuestras pruebas en el aula de la Tierra, habríamos podido ascender a nuestro hogar de origen para una aventura totalmente nueva con nuestra familia divina en las octavas celestiales.

5. *Pearls of Wisdom*, vol. 36, nº 15, págs. 202-203.

Muchos hemos permanecido aquí más tiempo del que en un principio esperábamos. Como hemos mencionado anteriormente, nos desviamos del camino en varias vidas. Sin embargo, tuvimos vivencias que despertaron en nosotros el recuerdo divino de nuestra herencia espiritual de origen y nos encendieron la chispa del anhelo de conocer nuestra verdadera identidad para convertirnos en quienes de verdad somos. Nuestros Padre y Madre divinos, Dios Padre-Madre, jamás nos han dejado por imposibles. Han esperado con paciencia nuestro regreso al hogar, inspirándonos desde la barrera y enviándonos ángeles y maestros para que nos ayudaran en respuesta a nuestras oraciones y al deseo de nuestro corazón.

El regreso al hogar es el regreso a una vida permanente en la conciencia de la Presencia YO SOY. Se trata de la ascensión en la luz que muchos que un día vivieron entre nosotros han alcanzado. Grandes seres como Jesús, el Buda Gautama, Kuan Yin, el Señor Krishna y la Virgen María, son solo unos pocos entre muchos maestros ascendidos. Otros que nunca recibieron reconocimiento externo mientras estuvieron encarnados, pero que también cumplieron los requisitos para ascender, se cuentan asimismo entre sus filas. Los maestros viven en el plano etérico, que es el de vibración más elevada en las dimensiones de la materia. Y es tan «real» como el plano físico en el que vivimos, aunque se halla en una dimensión más elevada.

Estos hermanos y hermanas de luz nos esperan llenos de alegría. Hasta que suceda el encuentro, podemos invocar a estos grandes seres para que acudan a nuestra vida del aquí y el ahora a fin de ayudarnos en el sendero hacia el hogar. En realidad, no hace falta que esperemos a llegar al cielo para conocerlos. Ellos pueden ayudarnos a vivir una vida más provista de aspectos del cielo mientras seguimos en la Tierra. Futuros capítulos acercarán tu percepción a los niveles más profundos de los maestros en lo relativo al proceso de la ascensión. Encontrarás en ellos prácticas herramientas espirituales sobre oración hablada y meditación que pueden resultarte útiles a la hora de desarrollar una relación íntima con los maestros ascendidos para acelerar el progreso del alma hacia la ascensión.

Presencia YO SOY

El secreto para transformar la vida

Los maestros ascendidos enseñan que no hay un poder mayor que el de la Palabra hablada para realizar cambios duraderos. En los tiempos que corren, los estudiantes de los maestros llevan usando la Palabra hablada desde hace más de treinta años para traer cambios a su vida. Las personas espirituales que formaban parte de antiguas tradiciones en todo el mundo la han empleado durante siglos.

Los místicos hindúes, budistas y judíos creen que la Palabra es el origen de todo lo que existe. En efecto, varios textos religiosos afirman que creó el mundo. Si acatamos lo que afirman los místicos, concluiremos que la Palabra es la fuerza creativa más poderosa del universo. Y si es capaz de crear mundos, ¡imagínate lo que puede hacer por nosotros!

Entender el poder del sonido y sus efectos en la creación material y espiritual es una buena motivación para probarlo por ti mismo. Por ejemplo, puedes utilizar el nombre de Dios «YO SOY» para realizar cambios positivos en tu vida, y este apartado incluye algunos modelos de afirmaciones «YO SOY». No obstante, si el concepto de la palabra hablada es nuevo para ti o te suena raro al principio, tan solo recuerda el antiguo adagio «quien nada arriesga nada gana».

La Palabra: el poder de la creación

¿Por qué tiene la Palabra tanto poder? La Biblia y los antiguos Vedas hindúes dicen que la Palabra es Dios o Brahmán. Leemos en los textos Vedas: «En el principio era Brahmán con quien estaba la Palabra, y la Palabra es Brahmán»[6]. Asimismo, el apóstol Juan escribió: «En el principio existía la Palabra y la Palabra estaba con Dios, y la Palabra era Dios»[7]. El Génesis relata que cuando Dios *pronunció* las palabras «Hágase la luz»[8], el proceso de la creación comenzó. La Palabra que pronunció no fue cualquier palabra: era la Palabra de Dios, es decir, una frecuencia emitida como la palabra sagrada OM en el origen de la creación.

Desde la perspectiva indo-oriental del cosmos, el universo entero es un océano de sonido y luz de grados variables de densidad o luminosidad. Según sus creencias, el sonido incluso precede a la luz. Esta visión del mundo explica de algún modo por qué Dios tuvo que «hablar» para que la luz apareciera.

Los místicos de Oriente y de Occidente comprendieron cómo engarzar con el poder de la Palabra. Conectaron con esa fuerza de la creación mediante la repetición oral de mantras y de los

---

6. Sir John Woodroffe: *The Garland of Letters: Studies in the Mantra-Sastra.* Pondicherry, India: Ganesh and Co., s.f.; pág. 4.
7. Juan 1:1
8. Génesis 1:3.

nombres de Dios. Los maestros ascendidos han desarrollado este antiguo ejercicio a través de una poderosa forma de oración hablada que han enseñado a sus estudiantes, denominada la Ciencia de la Palabra hablada. Hoy día, los discípulos emplean la Palabra en afirmaciones, oraciones, mantras y decretos (éstos son una forma rítmica de oración hablada) para dirigir la esencia de la luz divina, de la Presencia YO SOY y de los seres cósmicos a los planos de la materia con el fin de operar transformaciones y cambios constructivos.

> *Debes reconocer que Dios y tú —como si fuerais uno solo— sois mayoría en el planeta entero. Tú, dentro de Dios, ¡puedes cambiar la Tierra! Y cuando nos multiplicamos muchas veces mediante la ciencia de la Palabra hablada, [...] la unión de nuestra alma con nuestra Presencia YO SOY —y la unidad con la Gran Hermandad Blanca por medio de nuestra Presencia YO SOY— nos otorga un poder incalculable [...].*[9]
>
> ELIZABETH CLARE PROPHET

La utilización de la ciencia de la Palabra hablada nos confiere una sencilla técnica para contactar con los maestros ascendidos, los ángeles y nuestro propio Yo Superior. Una vez establecida la conexión, podemos ya dirigir el poder del Espíritu para que se manifiesten las oportunidades que han de traer consigo la realización de planes para una vida encaminados a ayudar a los demás y a transformar el mundo.

Comprender que el sonido tiene el poder de cambiar la materia contribuye a explicar por qué la oración hablada es mucho más eficaz que la oración en silencio.

El sonido afecta a la materia

Los antiguos sabios de Oriente enseñaban que la materia es, en realidad, la recíproca interacción de ondas de sonido. Hans Jenny, doctor suizo y científico, demostró, por medio de experimentos prácticos, cómo el sonido da forma a la materia. En dichos experimentos usaba un oscilador para hacer vibrar materiales sobre varias membranas y luego fotografió los resultados. A través del uso de diversas frecuencias, tonos y volúmenes, Jenny mostró cómo el sonido es capaz de crear formas y patrones intrincados y geométricos, muchos de los cuales guardan un asombroso parecido con ciertos patrones que se encuentran en la naturaleza.

El sonido se usa hoy día en métodos activos para transformar la materia. La tecnología médica moderna lo emplea para limpiar heridas y pulverizar piedras de riñón. Los que ejercen medicinas alternativas utilizan frecuencias de tono para contribuir a la sanación de órganos. Se investi-

Imagenes de Cymatics, vol II, de Hans Jenny; MACROmedia, P.O. Box 279, Epping, NH 03042

9. *Pearls of Wisdom*, vol. 38, nº 21, pág. 220.

ga incluso el sonido como fuente de energía para reemplazar métodos tradicionales de generar fuerza. ¡Ha llegado ya la hora de empezar a utilizar el poder creativo del sonido en nuestra vida!

La utilización del poder ilimitado mediante afirmaciones

Las afirmaciones constituyen un excelente inicio para volver a crear el mundo que nos rodea y a nosotros mismos por medio del sonido y de la ciencia de la Palabra hablada. Se han utilizado en escuelas de pensamiento positivo durante muchos años con el fin de ayudar a la gente a relajarse, a mejorar en su trabajo o en un deporte, o simplemente para ser más feliz. Suelen comenzar con las palabras «YO SOY», seguidas de una cualidad que se desea poseer o una acción que se quiere realizar. He aquí algunos ejemplos: «¡YO SOY una persona de éxito en el trabajo!», «¡YO SOY una persona amorosa!», «¡YO SOY el que vence todos los obstáculos y limitaciones!», «¡YO SOY capaz de absorber material nuevo con rapidez y facilidad!».

El poder de las afirmaciones reside en las palabras «YO SOY», que provienen del nombre de Dios «YO SOY EL QUE YO SOY». Los maestros han acortado este nombre reduciéndolo a «YO SOY» al pronunciar algunas afirmaciones. Desde el punto de vista espiritual, las palabras «YO SOY» significan «Dios en mí es». De modo que cuando decimos «YO SOY» o «YO SOY EL QUE YO SOY» nos conectamos con la ilimitada luz espiritual de la divinidad, la cual nos es transmitida al instante. Experiméntalo por ti mismo con la siguiente meditación breve.

Meditación sobre el «YO SOY EL QUE YO SOY».

1. Ve a tu interior y dirige la atención al corazón. Si quieres, coloca la mano encima para ayudarte a dirigir allí tu conciencia.

2. Respira profundamente varias veces hasta que te sientas en calma y relajado (o relajada).

3. Con los ojos cerrados, repite las palabras «YO SOY EL QUE YO SOY» varias veces seguidas durante unos dos minutos. Si quieres, visualízalas impresas en tu corazón mientras las pronuncias.

4. Cuando abras los ojos, fíjate en las distintas percepciones que quizá tengas: puede que te sientas más sintonizado con tu Yo Superior o más centrado interiormente. Puede, incluso, que percibas más energía en tu cuerpo y en el aura, que es el campo energético que te rodea.

5. Realiza esta meditación tan a menudo como desees para incrementar el flujo de la luz desde tu Yo Superior hasta tu mundo.

Las afirmaciones «YO SOY» constructivas pueden emplearse para reforzar las cualidades de Dios en nuestro interior. Tal como aparece en la Biblia, Jesucristo las usó con positivas connotaciones de poder en algunos pasajes:

Mientras estoy en el mundo, soy luz del mundo.[10]

---

10. Juan 9:5

Yo soy la resurrección y la vida. El que cree en mí, aunque muera, vivirá.[11]

Yo soy el camino, la verdad y la vida. Nadie va al padre sino por mí.[12]

Jesús entendió que era Dios quien moraba en él, la Presencia YO SOY quien manifestaba la Palabra que él hablaba, no su yo humano. De igual manera, el hecho de pronunciar estas u otras afirmaciones similares nos permite dirigir algo más de la conciencia eterna de lo Divino hacia dentro de nosotros. Repetir las afirmaciones y usarlas con constancia durante un cierto período acelera el proceso en cuanto nuestro subconsciente empieza a asimilar los conceptos. Los pensamientos positivos comienzan a plasmarse en nuestra conciencia, lo cual produce resultados visibles. Mediante el uso de afirmaciones podemos crear una nueva vida y estar mucho más sintonizados con la luz y la conciencia de Dios.

Practica la Palabra Hablada: Usa las afirmaciones YO SOY

Prueba este simple ejercicio para ver cómo te funcionan las afirmaciones YO SOY.

1. Recita las siguientes afirmaciones con intensidad (tres veces cada una). Para obtener mejores resultados, repítelas por la mañana cuando te hayas despertado y por la noche antes de acostarte. Puedes asimismo utilizarlas siempre que necesites infundir en ti la luz y la energía de tu poderosa Presencia YO SOY.

   ¡YO SOY **luz!**

   ¡YO SOY **luz/energía/conciencia!**

   ¡YO SOY **invencible y victorioso!**

   ¡YO SOY **el que está por todas partes en la conciencia de Dios!**

   ¡YO SOY **el espíritu de la alegría!**

   ¡YO SOY **amor en acción!**

2. Puedes añadir a estas afirmaciones otras creadas por ti mismo que se ajusten a tus necesidades.

3. Anota en tu diario o cuaderno cualquier observación que se te ocurra como resultado del uso de las afirmaciones.

---

11. Juan 11:25
12. Juan 14:6

CAPÍTULO 2
TU YO SUPERIOR

El contacto con la divinidad interna

L a reconciliación de los aspectos físico y espiritual del ser es probablemente uno de los mayores desafíos que las personas con inclinaciones espirituales afrontan. Quienes perciben la presencia del Espíritu dentro de sí saben también que manifestar esa espiritualidad rodeados de las circunstancias terrenales de nuestro entorno no siempre resulta fácil. Sin embargo, muchos han superado los desafíos de la vida en la Tierra y han alcanzado estados de conciencia trascendente. En este capítulo veremos algunas de las claves que maestros ascendidos como Jesucristo nos han legado con el fin de guiarnos de modo que consigamos estos estados de conciencia y logremos la unión con nuestro Yo Superior.

Podemos percibir más rapidamente nuestra integridad divina una vez que comprendamos los componentes de nuestra anatomía espiritual. Asimismo, al aprender acerca de nuestro Yo Superior podemos acelerar la conexión con nuestra Fuente interna. Tal conocimiento puede ayudarnos a desarrollar una relación más estrecha con estas partes vitales de nuestra naturaleza.

El retrato verdadero

Resulta sencillo ver la totalidad de nuestro cuerpo físico. Todo lo que tenemos que hacer es mirar al espejo.

Observar una imagen completa de nuestro ser espiritual, sin embargo, es otra cosa. La mayoría de la gente no posee una visión espiritual que les permita ver cómo es en realidad ese ser interior. De manera que los maestros ascendidos nos han dado una herramienta fundamental para ayudarnos. Se llama la gráfica de tu Yo Divino.

La gráfica muestra cómo se relaciona el individuo, que es un alma en un cuerpo físico, con el Yo Divino. Además, proporciona una perspectiva física de la parte no física de nuestro ser y, por tanto, el retrato íntegro. Muestra una representación lineal de lo

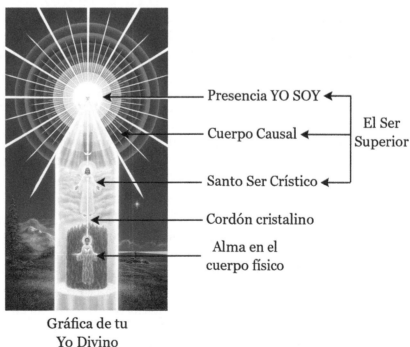

Presencia YO SOY

Cuerpo Causal — El Ser Superior

Santo Ser Crístico

Cordón cristalino

Alma en el cuerpo físico

Gráfica de tu
Yo Divino

que en realidad es una manifestación multidimensional de luz y energía radiante, vibrante. Las figuras inferior, media y superior de la gráfica son en realidad campos de energía superpuestos que vibran a distintas frecuencias: de la física, más densa, a la energía de luz, que vibra a una velocidad superior.

Ciertas personas dotadas de una visión espiritual muy desarrollada han visto el Yo Superior, el cual se halla representado en la gráfica por las dos figuras superiores. Hay quienes, tras experiencias cercanas a la muerte, han visto la gráfica y en efecto han podido confirmar que se trata del campo energético que vieron alrededor de las personas cuando estaban en el otro lado. Dannion Brinkley, autor del libro *Salvado por la luz*[13], tuvo tres experiencias cercanas a la muerte. En posteriores apariciones en público manifestó a los asistentes que en el mundo invisible se les ve como en las figuras superiores de la gráfica.

Esta herramienta visual facilita la explicación de la conexión entre los distintos componentes del ser en su totalidad, que son tanto físicos como espirituales. Cuando se observa con claridad cómo interactúan todas las partes, es mucho más fácil crear una relación íntima con el Yo Superior. El desarrollar una relación más estrecha con esta parte de nosotros permite que expresemos más cualidades de nuestra naturaleza divina en las interacciones cotidianas.

La Presencia yo soy está representada por la figura que está en la parte superior de la gráfica. Se trata de la Presencia de Dios que se halla individualizada en cada uno de nosotros. Es a través de la Presencia yo soy que somos uno con Dios. El cuerpo multicolor de luz que rodea a la Presencia se denomina Cuerpo Causal. Esos anillos de luz se ven planos en la ilustración, pero en realidad son esferas que dan vueltas inmersas en otras esferas de radiante energía de luz.

Mientras la chispa individual del Espíritu se estaba aún desarrollando dentro de las esferas de conciencia del Dios Padre-Madre, la Presencia yo soy reunió en el espacio a su alrededor bellas emanaciones de los atributos divinos del Espíritu que estaban destinadas a expresarse en la materia. Esos ovillos de luz forman los haces del espectro de colores del Cuerpo Causal que reflejan nuestra verdadera individualidad. Cada Cuerpo Causal es único como lo es un copo de nieve. San Pablo se refirió a la enorme realidad individualizada del Cuerpo Causal de cada uno de nosotros cuando dijo: «Una estrella difiere de otra en resplandor»[14]. El capítulo cuatro explica qué papel desempeña esta energía de luz en el cuerpo causal en nuestra vida diaria.

El alma está representada por la figura inferior de la gráfica. ¿Cómo logra el alma, que ahora reside en un denso cuerpo físico, conectar con el vasto almacén de luz espiritual que se halla en su cuerpo causal? La luz desciende al alma a través de lo que se denomina el cordón cristalino (o también cordón de plata), que aparece en la gráfica en forma de estrecha línea blanca. En el pasado muchos clarividentes se han referido a este cordón plateado que decían percibir por medio de la visión interna. Puede compararse dicho cordón, el cual se origina en el Dios Padre-Madre (en el Gran Sol Central), con el cordón umbilical que une al recién nacido con su madre. Es la cuerda de salvamento que nos une al Espíritu. La energía de luz divina fluye desde nuestro Dios Padre-Madre a través del cordón cristalino hasta la Presencia yo soy y luego continúa por el cordón hasta el alma que reside en el cuerpo físico. Antes de alcanzarla, no obstante, pasa por otra parte

13. Dannion Brinkley: *Salvado por la luz*. Madrid: Edaf, 1995.
14 1 Corintios 15:41

de nuestra conciencia denominada el Santo Ser Crístico, que aparece representado en la gráfica por la figura media.

El Santo Ser Crístico

Es sabido que toda energía tiene una frecuencia o velocidad vibratoria, más elevada en el Espíritu que en la materia. Cuando las almas abandonaron el plano del Espíritu puro, se fueron adaptando cada vez más a las frecuencias de la materia y cada vez menos a las de la Presencia YO SOY. Ya en los reinos más densos de la materia, el alma requería de un intercesor para que mediara en cuestión de frecuencias entre el Espíritu y la materia. La corriente pura de luz procedente de la Presencia dejó de tener un cáliz en la materia capaz de sostener dicha luz. Así que se hizo necesario llenar el vacío que, en materia de frecuencia, existía entre el alma (que había bajado de vibración) y la Presencia YO SOY (que seguía siendo esencia pura de Dios). El mediador de esta luz es un nivel de conciencia denominado el Santo Ser Crístico. Los maestros ascendidos y otras fuentes espirituales se refieren a él utilizando varios términos, como son: cuerpo mental superior, conciencia de Cristo o conciencia de Krishna.

¿Por qué hace falta un mediador? Si la intensa luz de la Presencia YO SOY tuviera que descender de golpe al cuerpo físico, este no podría contenerla. Es como si enchufases un aparato eléctrico de doce voltios a una toma de ciento veinte. La corriente procedente de la toma fundiría el aparato. Sin embargo, si el aparato estuviera conectado a un adaptador, la corriente se reduciría de manera que lo haría funcionar sin destruirlo. De igual forma, para que podamos usar la poderosa energía de luz de la Presencia YO SOY, ha de reducirse a un nivel que nos permita manejarla sin destruir nuestros circuitos. De ello se deduce que el Santo Ser Crístico sirve de adaptador o transformador.

Santo Ser Crístico

Hace dos mil años Jesucristo desempeñó el papel de mediador entre Dios y las personas. Pudo hacerlo porque había logrado tener la conciencia del Santo Ser Crístico. Por ello se le llamó «el Cristo». La palabra *Cristo* proviene del término griego *christos*, que significa «ungido». Un ser que es crístico está ungido con la luz del Dios Padre-Madre, o con la Presencia YO SOY. La luz del Espíritu fluye libremente a través de tal persona, que la usa para bendecir y sanar a otros.

Durante su ministerio, Jesús transmitió a la gente el amor y la sabiduría del Padre con el fin de mostrarles el camino que les llevaría de regreso a Dios. El Santo Ser Crístico es un nivel de conciencia que nos puede acercar a la divinidad. Cuando Jesús dijo a sus discípulos: «Yo soy el camino, la verdad y la vida: nadie va al Padre sino por mí»[15], estaba diciendo que, para llegar al Padre (que es uno con la Madre), tenemos que hacerlo por medio de la conciencia crística.

Si observamos las cualidades que Jesús exhibió a través de sus palabras y obras, podemos entender lo que significa encarnar la conciencia crística. Jesús predicó con el ejemplo para que cada persona que deseara la unión divina pudiera seguirlo. Cuando afirmó: «El que crea en mí [el Cristo], hará él también las obras que yo hago»[16], se refería a que todos tenemos el potencial de lograr lo que él alcanzó. No significa que sea necesario obrar milagros, sino que al encarnar las cualidades que él

15. Juan 14:6
16. Juan 14:12

mostró (el perdón, la compasión, el amor, la paz, la verdad, la renuncia, la humildad, la fortaleza y la obediencia a las leyes espirituales), los demás pueden obtener la misma conciencia de Cristo que Jesús adquirió.

Jesús

Una manera de avanzar hacia esa meta de la conciencia crística es acostumbrarnos a evaluar los rasgos de nuestro propio carácter. El devoto que desea examinar sus puntos fuertes y sus debilidades puede preguntar: «¿Cómo manifiesto esas cualidades y esos defectos, ya sea de modo notable o en leves expresiones?» Asimismo, al afrontar situaciones difíciles cabe interrogarse: «¿Qué haría Jesús?». En el hinduismo, Krishna representa la conciencia crística. De modo que quienes se sientan especialmente afines a la tradición oriental podrían preguntar: «¿Qué haría Krishna?». La conciencia crística crecerá día a día, poco a poco, a medida que el devoto procure emular las virtudes que Cristo personificó.

Krishna

El Yo Crístico actúa como una inteligencia discriminadora. En nuestra condición humana, a veces se nos hace difícil saber lo que más nos conviene. Es fácil dejarse arrastrar por deseos o hábitos que no necesariamente van a resultar beneficiosos para nuestro desarrollo espiritual. Por otro lado, el Yo Crístico siempre sabe lo que más conviene en cualquier circunstancia. Sabe lo que se precisa en todo momento. Cuando el alma está sintonizada con la vibración del Yo Crístico puede atraer de la Presencia YO SOY la cantidad exacta de luz, energía e iluminación que necesita para alcanzar sus metas.

Puedes invocar la ayuda de la Presencia mediante la Palabra hablada, en nombre y mediante la autoridad del Yo Crístico. Ello se debe a que este tiene el poder de decidir y administrar la energía de luz que se obtiene al seguir la voluntad de Dios. En el apartado «El poder liberador de la Palabra» del capítulo tres, tendrás la oportunidad de practicar la invocación de la luz espiritual con la autoridad de tu Santo Ser Crístico mediante la ciencia de la Palabra hablada.

Gandhi

El Yo Crístico te traslada las vibraciones, el amor y los mensajes de la Presencia YO SOY. Tal comunicación te llega en forma de voz de la conciencia, que es la voz del Yo Crístico. Si escuchas al Santo Ser Crístico recibirás orientación inequívoca. Mahatma Gandhi dijo en cierta ocasión: «El único tirano al que tolero en este mundo es a la "suave vocecita" interna»[17]. Lo que quería decir es que esa voz era la única autoridad a quien obedecería sin cuestionar. Percibía esa voz interior como el medio para mantener el rumbo y alcanzar sus metas.

La mayoría hemos oído la voz de la conciencia cuando nos decía que hiciéramos o que no hiciéramos algo. Y quizá todos hayamos sufrido las consecuencias de no escuchar esa suave vocecita que nos hablaba. Pregúntate cuántas veces te has dicho: «¿Por qué no escuché?».

17. Mohandas K. Gandhi, citado en Richard Attenborough, comp.: *The Words of Gandhi*. Nueva York: Newmarket Press, 1982; pág. 20.

Aprender a reconocer la voz del Yo Crístico ayuda a desarrollar una mayor sensibilidad hacia ese aspecto de la conciencia. A medida que nos integramos más plenamente con esta parte de nosotros, obtenemos mayor gracia y maestría a la hora de tratar con los desafíos diarios que la vida nos trae. Nos colocamos en una situación más armoniosa con el flujo de la vida.

Tu Santo Ser Crístico, con su sabiduría, ve todas tus necesidades y es consciente de cada lección que tu corriente de vida necesita para poder llevar a cabo el plan para su vida, así que te dará todos los días el rayo de la inteligencia crística que te servirá de guía, el cual se vierte constantemente desde el Yo Crístico, que es tu mediador, sobre ti. [...]

Ya veis, la Presencia de Dios tiene ojos demasiado puros para contemplar la iniqui-dad[18] (injusticia o desequilibrio), mas vuestro propio Santo Ser Crístico, en su papel de «mediador» entre Dios y el hombre, ¡es capaz de percibir y comprender por igual todas las fases de los estados de conciencia terrenales y celestiales!, porque el Santo Ser Crístico descendió de la Presencia misma para actuar como Dios vuestro Salvador, y es el único mediador verdadero entre Dios (la Presencia de Dios YO SOY en vosotros) y vuestro ser individualizado no ascendido. Venerad, por tanto, el servicio que el Yo Crístico os rinde, mis amados, ¡porque es en efecto único![19]

MAESTRO ASCENDIDO MAHÁ CHOHÁN

Nunca sé cuándo mi Yo Superior va a entrar en mi vida y va a ser determinante. Así ocurrió un bonito día de primavera cuando estudiaba en la Universidad de Boston. Salía a toda prisa de mi dormitorio cuando oí una voz interna que decía: «Ponte el abrigo grueso». Sabía a qué abrigo se refería. Era en efecto grueso y tenía partes que imitaban la alpaca. Me dije: «Está bien, es la mayor locura que jamás he oído, pero me lo pondré».

Aun así, mi Yo Superior seguía sin estar satisfecho. «Ponte los guantes gruesos», or-denó la voz. «Esto no puede ir en serio», me dije. «Me pondré el abrigo, pero no esos guantes gruesos. ¡Hace demasiado calor!»

Así que me puse el abrigo y salí corriendo calle abajo, porque casi llegaba tarde a clase. Crucé una calle pasando entre unos vehículos parados por un semáforo en rojo y ¡zas! Una bicicleta se acercaba a gran velocidad por el lado de los autos y chocó contra mí. Me tiró al suelo y me pilló con las manos desprotegidas. Caí y me quedé en estado de confusión, con el cuerpo aislado por el abrigo pero con rasguños en las manos.

Mi Yo Superior me había salvado de sufrir lesiones graves, pero no me pudo salvar de mi propia testarudez. La lección que aprendí ese día es que permanecer en contacto con mi Yo Superior es más valioso que cualquier otra cosa en la vida.[20]

ELIZABETH CLARE PROPHET

18. Habacuc 1:13
19. *Pearls of Wisdom*, vol. 3, n° 4, pág. 2.
20. Elizabeth Clare Prophet: *Consigue lo que necesites del Universo*. Barcelona: Porcia Ediciones, 2014; págs. 5-6.

Ejercicio: Agudizar la capacidad de la escucha interna

Este ejercicio, que consta de dos partes, te dará la oportunidad de reflexionar sobre las situaciones que te han acontecido en la vida en las que tu Yo Crístico te estaba hablando. Esta clase de ejercicios sirven para ayudarte a reconocer la voz interna, a observar tus reacciones al oírla y a avisarte de las consecuencias de hacerle o de no hacerle caso.

Primera parte: ¿Por qué no escuché?

1. Piensa en algún momento en el que tu voz interior te impulsara a hacer algo y no escuchaste. Puede tratarse de un incidente de escasa importancia, como por ejemplo llevarte el paraguas al trabajo por la mañana aunque afuera hiciera un sol resplandeciente, ya que más tarde se puso a llover; o podría tratarse de una situación de consecuencias más graves.

2. Anota en tu diario las respuestas a las siguientes preguntas:

   - ¿Qué decía la voz?

   - ¿Cómo era la voz: suave, fuerte, áspera, amorosa?

   - ¿Por qué no hice caso?

   - ¿Qué sucedió como consecuencia de no haber hecho caso, si es que ocurrió algo?

3. Si recuerdas el proceso mental por el que pasaste desde el momento en que oíste la voz hasta que tomaste la decisión de no seguir esa sugerencia, escríbelo en tu diario.

Segunda parte: ¿Qué ocurrió cuando sí hice caso?

1. Piensa ahora en alguna ocasión en la que tu voz interna te impulsó a hacer algo y le hiciste caso.

2. Intenta recordar qué fue lo que te impulsó a seguir su consejo. Anótalo en tu diario.

3. ¿Cuáles fueron las consecuencias de seguir las indicaciones de la voz interna? Escríbelo en el diario.

> *Sobre todo no dejéis que pase un solo día sin entrar en comunión con vuestro Santo Ser Crístico. Porque vuestro Santo Ser Crístico es vuestro Yo inmortal. Y si tenéis que lograr la unión con Dios, es con ese Yo que debéis uniros. Por tanto, debéis esforzaros por mantener intacta la comunión con vuestro Santo Ser Crístico. Dicha comunión puede ser perpetua, ya estemos despiertos o dormidos.*[21]
>
> MAESTRO ASCENDIDO JESUCRISTO

Suele ser difícil oír la suave voz del Santo Ser Crístico cuando habla entre tanto ruido y distracción reinando en el mundo de las sensaciones físicas. De modo que, ¿cuál es la mejor manera de desarrollar un oído atento a esas indicaciones? Los místicos y santos de todas la épocas nos han dado la clave. El lugar donde hay que ir para comulgar con lo divino es el corazón.

El centro del corazón: la puerta de entrada a lo divino

El corazón es el vínculo que conecta al alma con la divinidad. Ello obedece a que la Presencia YO SOY colocó una llama espiritual —la esencia de sí misma— en el centro del corazón de cada individuo. Esa llama es también la esencia de Dios, porque la Presencia YO SOY es una emanación de Dios. La llama, que está en el interior de nuestro ser, nos conecta con el punto de origen en el Gran Sol Central.

Esta llama se halla situada en uno de los centros espirituales que se conoce como la cámara secreta del corazón. En la tradición hindú, el Upanishad Katha se refiere a la «luz del Espíritu» que se encuentra oculta en el «elevado lugar secreto del corazón» de todos los seres. Es allí adonde nos dirigimos para intensificar esa vivencia en el Espíritu. Es el lugar donde comulgamos con el Santo Ser Crístico y recibimos la luz de la Presencia YO SOY. Algunas personas experimentan una sensación de ardor en el corazón cuando sienten un intenso amor hacia los demás o hacia Dios. Es una prueba de la presencia de la llama dentro del corazón.

> *La luz que brilla más allá de todas las cosas en la Tierra, más allá de todos nosotros, [...] esta es la luz que brilla en nuestro corazón.*[22]
>
> UPANISHAD CHANDOGYA (texto sagrado hindú)

La tendencia humana es buscar a Dios fuera de nosotros. Es cierto que Él está en todas partes. Y, sin embargo, no hace falta ir más allá de la cámara secreta del corazón para conectar con ese poder. En ese foco interior cabe encontrar, por inspiración divina, la solución a todos los problemas. Jesús dijo que «El reino de Dios ya está entre vosotros»[23], refiriéndose a que el corazón es el sitio donde puede entrarse en contacto con el Espíritu y percibir la conciencia divina. Otras religiones enseñan

---

21. *Pearls of Wisdom*, vol. 39, nº 31, pág. 172.
22. Upanishad Chandogya 3.13,14, citado en Kathleen Healy: *Entering the Cave of the Heart: Eastern Ways of Prayer for Western Christians*. Nueva York: Paulist Press, 1986; pág. 102.
23. Lucas 17:21

el mismo principio. Los budistas lo llaman «el germen de la budeidad» o la naturaleza de Buda que existe en todo ser vivo. La palabra sánscrita *atmán* se utiliza en los Upanishads para referirse al Dios que mora en el interior: el imperecedero, indeteriorable núcleo del hombre. Atmán es idéntico a Brahmán, que es el ser eterno, absoluto, la conciencia y la dicha absolutas.

> *Tras un arduo viaje a través del Himalaya, un joven buscador llegó a la cueva de un viejo ermitaño.*
>
> *—¿Adónde vas?— preguntó el ermitaño.*
>
> *—En busca de Shambala— replicó el joven.*
>
> *—Ah! Bien, entonces no debes ir muy lejos —dijo el ermitaño—. Porque el reino de Shambala está en tu corazón.*[24]
>
> LEYENDA TIBETANA

El teólogo y místico cristiano del siglo XIV Meister Eckhart se refería a la llama dentro de la cámara secreta del corazón cuando dijo: «La semilla de Dios está dentro de nosotros»[25]. Hay una

parte de nosotros, afirmó, que «permanece eternamente en el Espíritu y que es divina [...]. En ella Dios brilla y llamea sin cesar»[26]. Los maestros ascendidos denominan a esta llama la chispa divina o la llama trina. O también la Santa Llama Crística porque a través de ella comulgamos con el Yo Crístico.

El Maestro Ascendido Zaratustra explicó que la chispa divina interna es el núcleo del Espíritu que todo lo abarca: «Porque tenéis ese algo, podéis convertiros en ese todo en todo. Podéis entrar en el corazón de la llama en la bellota del ser y saber que, porque Dios está ahí y es ese fuego, vosotros seréis todo lo que sois, y que, de hecho, potencialmente, en forma de embrión, ya sois ese Dios, uno en la mente universal».[27]

Poder, sabiduría y amor divinos: usarlos o perderlos

La llama de la cámara secreta del corazón se denomina «trina» porque tiene tres plumas ígneas. Cada una de ellas representa un aspecto de la Trinidad divina: el Padre, el Hijo y el Espíritu Santo o, en terminología hindú, Brahma, Vishnu y Shiva. También se le llama trina porque encarna los tres atributos principales del Espíritu: poder, sabiduría y amor. Los elementos de la Trinidad, así como sus cualidades correspondientes, están representados por los colores azul (Padre/poder), amarillo (Hijo/sabiduría) y rosa (Espíritu Santo/amor). El núcleo

24. Adaptado de la leyenda contada por Edwin Bernbaum en «*The Hidden Kingdom of Shambala*», *Natural History* 92, n° 4 (abril 1983): 55-56, 59, 62.
25. M. O´C. Walshe, trad. y ed., *Meister Eckhart: Seminars and Treatises.* Longmead, Shaftesbury, Dorset: Element Books, 1987; 3:107.
26. Meister Eckhart, citado en Joseph James, Comp.: *The Way of Mysticism.* New York: Harper and Brothers Publishers, s.f.; pág. 64.
27. *Pearls of Wisdom*, vol. 29, n° 41, pág. 382.

de fuego del que surge la llama trina corresponde al aspecto materno (materia) de Dios y está representado por el color blanco.

Llama trina

CUALIDADES DIVINAS DE LA LLAMA TRINA		
Padre	Hijo	Espíritu Santo
Poder	Sabiduría	Amor
Azul	Amarillo	Rosa

¿Qué significa para el individuo esta naturaleza trina de esta llama espiritual? Al ejercitar las cualidades divinas de la llama trina, puede manifestarse la trinidad de la conciencia de Dios y experimentarse una creciente maestría en cualquier labor que se realice. Ahora verás el porqué. La pluma rosa es el fuego de la creatividad que nace del amor, la compasión y la gracia del Espíritu Santo, atributos que pueden ayudarte a dotar de ese Espíritu todo lo que creas. La pluma amarilla/dorada representa el Hijo de la sabiduría, la mente de Cristo dentro de ti que confiere la inteligencia discriminadora. Y por último, la llama azul contiene el poder y la determinación del Padre que puede hacer que se manifieste el proyecto divino original del alma.

Estas cualidades divinas existen en un hermoso estado potencial dentro del corazón. Deben ejercitarse y desarrollarse para convertirse en una realidad en la vida diaria. La llama puede compararse con una semilla, cuyo potencial permanece encerrado en su interior. La semilla requiere de cuidados y nutrientes o de lo contrario quedaría inactiva. La devoción amorosa ofrecida a esta llama trina durante la meditación y la oración hablada contribuirá a su crecimiento. Pensamientos, palabras y actos bondadosos la aumentan e intensifican. Crean un poderoso imán para que más luz del Yo Crístico llene el corazón. Tal como las practicaron Jesús y otros muchos maestros, les ayudó a obtener la cristeidad y la inmortalidad definitiva por medio del ritual de la ascensión, el cual se explica en el capítulo siete.

La llama trina es el pasaporte del alma hacia la inmortalidad. Constituye la parte de tu existencia material que es Espíritu puro, y solo lo que es Espíritu perdura en la eternidad. El alma, por el contrario, es mortal. Es un aspecto no permanente del ser. Y al tener libre albedrío, puede escoger en cualquier momento abandonar la búsqueda de su divinidad. Puede optar por ignorar las sugerencias del Santo Ser Crístico tendentes a la elevación en conciencia o bien puede elegir seguir un sendero de devoción a través de la llama trina que conduce a la unidad con el Yo Crístico. El alma debe permanecer totalmente unida al Yo Crístico antes de alcanzar la unión con la Presencia YO SOY por medio de la ascensión, para con ello volverse inmortal. Esa unión es un proceso que puedes hacer que ocurra progresivamente. Es un proceso en el cual el alma elige y aprende lecciones que la conducen a la maestría y al conocimiento del yo como Espíritu.

> *En la llama sabéis que siempre habéis existido y que siempre existiréis. En ella está la fusión de vuestra alma y de vuestro Espíritu en la eternidad.*[28]
>
> MAESTRO ASCENDIDO EL MORYA

Meditación en la llama

Las tensiones de la vida aumentan con el ritmo acelerado del siglo XXI. Ya no bastan las soluciones humanas a la creciente complejidad de los problemas de nuestro tiempo. Necesitamos soluciones divinas. Es ahora más importante que nunca adentrarnos en la quietud del interior del corazón —ese lugar donde reina la paz y el equilibrio de la divinidad interna— para arrojar luz sobre cualquier desafío que afrontemos tanto a nivel personal como colectivo. Cuando desarrollemos el hábito de ir todos los días al corazón, simplemente para hablar y rezar al Santo Ser Crístico, nos haremos más receptivos a la orientación de la voz interna. La meditación en la llama del corazón constituye un ejercicio que puede llevar al alma de un estado de conciencia externa a una profunda conexión interna con la realidad divina. De modo que la llama puede actuar como catalizador, como si fuera una «bujía» que activa una mayor sintonía con la Presencia YO SOY.

Cámara secreta del corazón

Es recomendable meditar en la llama que hay en la cámara secreta del corazón. Puedes pensar en ella como una sala privada de meditación, un *castillo interior*, que fue el nombre que le dio santa Teresa de Jesús. En la tradición hindú, el devoto visualiza en su corazón una isla de piedras preciosas, donde se ve a sí mismo ante un hermoso altar en el que, en profundo estado de meditación, venera a su maestro.

Jesús se refería a entrar en la cámara secreta del corazón con las siguientes palabras: «Cuando ores, entra en tu aposento, y cerrada la puerta, ora a tu Padre que está en secreto; y tu Padre que ve en lo secreto te recompensará en público»[29]. El aposento que Jesús mencionó simboliza trasladarse a otra dimensión de la conciencia. Significa entrar en el corazón interior y cerrar la puerta al mundo exterior durante un cierto tiempo a fin de comulgar con el Yo Superior.

---

28. El Morya: *El discípulo y el sendero: claves para la maestría del alma en la era de Acuario.*
29. Mateo 6:6

Meditación del corazón

La siguiente meditación breve puede ayudarte a atraer más luz y amor de tu Santo Ser Crístico a tu llama trina y centro del corazón para que puedas luego enviar esta energía radiante y positiva al mundo.

1. Ve al interior y dirige tu atención hacia el corazón, colocando una mano sobre él para centrar allí tu conciencia.

2. Cierra los ojos y respira profundamente varias veces hasta que te sientas tranquilo y centrado.

3. Visualízate a ti mismo/a sentado/a ante un hermoso altar en la cámara secreta de tu corazón. Ve una llama trina ardiendo encima del altar. Imagínate vestido/a de forma apropiada para esta ocasión.

4. Fíjate en la imagen de tu llama trina. Visualiza enormes y palpitantes llamas de color azul, dorado y rosa brillando en el centro de tu pecho. Siente en tu corazón gratitud y amor profundos por el regalo de la vida que se te ha dado. Luego entona el OM mientras mantienes esa visualización.

5. Haz la siguiente afirmación para incrementar el flujo de luz que sale de tu Yo Crístico y va a tu corazón y luego al mundo.

YO SOY la Luz del corazón

YO SOY **la luz del corazón**
brillando en las tinieblas del ser
y transformándolo todo en el dorado tesoro
de la mente de Cristo.

YO SOY **quien proyecta mi amor**
hacia el mundo exterior
para derribar toda barrera
y borrar todo error.

¡YO SOY **el poder del Amor infinito**
que se amplifica a sí mismo
hasta ser victorioso
por los siglos de los siglos!

6. Sella tu meditación con la siguiente oración:

Amado Santo Ser Crístico, te pido que me enseñes a caminar más cerca de ti cada día. Mantén mi corazón puro y armonizado con tu dirección divina en todo momento. Estoy agradecido/a por el regalo de la vida y por la presencia de Dios dentro de mi corazón.

Que Dios encienda el corazón con Su presencia.[30]

RALPH WALDO EMERSON

30. Ralph Waldo Emerson: «The Over-Soul» en *Self-Reliance: The Wisdom of Ralph Waldo Emerson as Inspiration for Daily Living,* ed. Richard Whelan. Nueva York: Crown Publishers, 1991; págs. 68-69.

El poder de los decretos dinámicos

Las fuerzas invisibles son responsables de las respuestas a nuestras oraciones, tanto las silenciosas como las habladas. Vamos a ver cómo el cielo responde a nuestras súplicas y a una novedosa y potente forma de Palabra hablada denominada 'decreto dinámico'. En cuanto pongas a prueba un decreto, verás sus beneficios en tus asuntos cotidianos.

Dar órdenes mediante el poder de la Palabra

El poder de la Palabra hablada está bien documentado. La Biblia, por citar un ejemplo, narra cómo Jesucristo la usó para obrar milagros. Ordenó a los enfermos que se curasen, al viento y al mar tempestuosos que se calmaran y a los espíritus malignos que salieran de los que estaban po-

Jesús

seídos. Incluso resucitó a un hombre de entre los muertos por medio de la Palabra hablada. El Evangelio según San Juan relata cómo Jesús gritó con fuerte voz: «¡Lázaro, sal fuera!»[31], y Lázaro se levantó de los muertos, con vendas y envuelto en un sudario.

La ciencia de la Palabra hablada es el método más efectivo de los que se conocen hoy día para la resolución y progreso espirituales. La práctica de esta ciencia distingue las enseñanzas de los maestros ascendidos de la mayoría de las demás organizaciones. Combina la oración, la meditación y la visualización con afirmaciones y decretos dinámicos que usan el nombre de Dios, «YO SOY».

Los maestros ascendidos nos enseñan que es necesario utilizar esta poderosa herramienta para contrarrestar el desorden y la decadencia crecientes de nuestro tiempo. Vemos todos los días malas noticias sobre los efectos adversos del clima, la guerra y la delincuencia. No hay que desesperar ante semejante panorama. ¡La ciencia de la Palabra hablada es un método rápido y conveniente para realizar cambios positivos y efectivos en el planeta! Al llamar a Dios, a los maestros ascendidos y a los ángeles, podremos convertirnos en instrumentos del cielo en la Tierra para ayudar de manera activa a resolver muchas circunstancias negativas.

---

31. Juan 11:43

Cómo el decreto dinámico exige respuestas del cielo

Tradicionalmente los seres humanos han utilizado la oración como medio para entrar en contacto con el Ser Supremo. Cuando oramos, mostramos a Dios, en voz alta o en silencio, adoración y agradecimiento. Le confesamos nuestros pecados o le pedimos que nos ayude. Al rezar, nos abrimos a un estado de comunión con el Espíritu por medio del deseo de nuestro corazón. Una vez que se ha establecido esa comunión, la gracia de la Divinidad desciende a nuestro mundo en forma de luz y energía para efectuar el cambio milagroso.

Muchas obras invisibles de las huestes celestiales ocurren también en respuesta a nuestras oraciones. Betty Eadie, superviviente de una experiencia cercana a la muerte, afirmó que desde el cielo las oraciones se ven como luces de distintos tamaños que se elevan desde todas partes de la Tierra. El tamaño de la luz depende de la fuerza de la oración. Algunas luces son minúsculas, como chispas, mientras que otras son grandes, extensos rayos de luz parecidos a los rayos láser. Los ángeles se apresuran a responder a las oraciones más intensas y brillantes en primer lugar y luego a todas las demás.[32]

Debido al poder del sonido, recitar una oración en voz alta produce mayores resultados que orar en silencio. El decreto dinámico es una forma de oración hablada cuidadosamente elaborada. Se diferencia de la oración normal en que las palabras que lo componen han sido dictadas o inspiradas por un maestro ascendido y contienen patrones específicos y singulares de luz. De hecho, a las palabras de los decretos se les llama a veces «copas de luz». En un dictado, el Maestro Ascendido Omri-Tas dijo: «Os hemos entregado con nuestros decretos copas de luz en forma de palabras, mantras procedentes de las octavas puras del Espíritu, del cuerpo causal de los maestros ascendidos».[33]

Los decretos son la más poderosa de las súplicas al Ser Supremo. Conectan con el poder ilimitado de Dios al usar el nombre «YO SOY», como hacen las afirmaciones. El simple hecho de recitar un decreto establece un patrón determinado para que la luz del Espíritu fluya a la materia. Cuando se recita con devoción, el decreto dinámico atrae hacia abajo la luz de la Presencia YO SOY, con mayor eficacia, para traer el máximo bien que sea posible.

Los decretos tienen la capacidad de ordenar una acción instantánea a las huestes de luz, los maestros ascendidos, los ángeles y los arcángeles. Mientras que una sola oración puede provocar la respuesta de unos cuantos ángeles, un sencillo decreto recitado con profunda devoción y concentración puede reunir cien mil ángeles al lado de la persona que los necesite. El Maestro Ascendido Saint Germain nos ha dicho que cuando damos un decreto con el pleno fervor de nuestro corazón, los ángeles más elevados del cielo se despiertan. El decreto apasionado aparece ante ellos como un fuego que arde en la

32. Betty J. Eadie: *Embraced by the Light*. Placerville, Calif.: Gold Leaf Press, 1992; págs. 103-104.
33. *Pearls of Wisdom*, vol. 31, nº 3, pág. 26.

Tierra. Añadió que, tan pronto como tal decreto se pronuncia, bandas enteras de ángeles se abalanzan para cumplir la orden.

Recitar un decreto más de una vez multiplica todavía más este efecto. A medida que se repite el decreto, las ondas sonoras se fortalecen y la vibración se intensifica. La repetición rítmica de las palabras genera ondas de poder que forman una especie de cascada, algo parecido a ondas de luz que se amplifican al crear un rayo láser. Este es capaz de hacer un agujero en un metal sólido quemándolo. Del mismo modo, una corriente de sonido rítmico correctamente producida es capaz de transmutar la materia física y eliminar la densidad y la discordia.

> *Recuerda: la alquimia*[34] *de la oración ferviente puede hacer que muchas cosas cambien rápidamente. La oración siempre es una forma de alquimia. Vuestras oraciones son alquimia entre vuestra alma y vuestra Presencia YO SOY, mediada por vuestro Santo Ser Crístico y el Espíritu Santo.*
>
> *La misma relación acontece entre el decreto divino y la ciencia de la Palabra hablada, el fíat y el mantra. Y cada vez que abrazáis la práctica de la ciencia de la Palabra hablada con alegría y amor, enviando vuestros decretos hacia el universo, tiene lugar una recíproca alquimia de cambio en vuestro ser.*[35]
>
> MAESTRO ASCENDIDO LANELLO

Los decretos son cartas espirituales

Puede considerarse a los decretos 'cartas' espirituales porque, al igual que ellas, se componen de tres partes: 1ª) un saludo llamado preámbulo, 2ª) el decreto propiamente dicho, y 3ª) un cierre. Vamos a ver a continuación las características de la parte principal del decreto.

La parte principal del decreto

Se trata de una fórmula con expresiones muy cuidadas, compuesta de afirmaciones que apelan a una determinada cualidad espiritual con el fin de efectuar un cambio positivo en la persona que decreta, así como en muchas otras. Expresa el deseo de convertirse cada vez más en la divinidad innata y es una petición de ayuda a tu Yo Superior y a los maestros ascendidos. Por ejemplo, la parte principal de un decreto que invoca la cualidad cósmica de la misericordia diría lo siguiente:

**Gotas de misericordia descienden,
como suave lluvia de verano,
derrite toda substancia endurecida,
¡mi dolor interno disuelve!**

---

34. La alquimia es la capacidad de cambiar o transmutar alguna sustancia.
35. *Pearls of Wisdom*, vol. 38, nº 37, pág. 412.

¡En el nombre YO SOY!
¡En el nombre YO SOY!
¡En el nombre YO SOY!

En resumen, esta parte del decreto contiene la orden o el mandato para que la luz actúe en el mundo. Puede repetirse tantas veces como se desee para obtener un mayor resultado. Cuantas más veces se repita, más luz se emitirá para ejecutar la acción solicitada.

Ejercicio: Pon en práctica un decreto

Ahora puedes poner en práctica la ciencia de la Palabra hablada para ver cómo puede cambiar tu vida. Vas a practicar con la parte principal del decreto «Introito al Santo Ser Crístico».

1. Siéntate en una silla cómoda en un lugar donde nadie te interrumpa.

2. Respira profundamente hasta que estés tranquilo/a y centrado/a.

3. Recita el siguiente decreto para estar en sintonía con tu Yo Crístico por medio de tu llama trina, conocida también como tu Santa Llama Crística. Recita la primera estrofa seguida del estribillo. A continuación, la segunda estrofa seguida también por el estribillo. Y finalmente la tercera, con el estribillo. Repite toda la secuencia tres veces.

Introito al Santo Ser Crístico

1. Santo Yo Crístico arriba de mí,
   tú, complemento de mi alma,
   haz que tu bendito resplandor
   descienda y me haga íntegro.

Estribillo: Tu Llama dentro de mí siempre flamea,
   tu Paz en mi derredor siempre se eleva,
   tu Amor me protege y me ampara,
   tu brillante Luz me envuelve.
   YO SOY tu triple radiación,
   YO SOY tu Presencia viva
   que se expande, se expande, se expande ahora.

2. Santa Llama Crística dentro de mí,
   ven, expande tu Luz trina;
   colma mi ser con la esencia
   del rosa, del azul, del oro y del blanco.

3. Santo nexo de vida con mi Presencia,
   amigo y hermano por siempre querido,
   deja que guarde tu santa vigilia,
   que sea tú mismo en acción aquí.

4. Si observas alguna sensación destacable después de recitar el decreto, como por ejemplo, física o visual, o sentimientos de alegría, felicidad o paz, escríbelo en tu diario o cuaderno.

5. Continúa practicando diariamente con este decreto durante una semana. Anota tus experiencias después de cada sesión.

6. Al cabo de una semana, revisa las notas de tu diario. Lee las siguientes preguntas y escribe un breve resumen de los cambios que hayas notado al recitar el decreto.

   - ¿Cuáles son los principales efectos que he percibido durante las sesiones de práctica?

   - ¿Ha ocurrido algo durante esta semana que pienso podría ser consecuencia de haber recitado el decreto?

7. Decide cómo te gustaría utilizar este decreto en las próximas semanas. Si observas cambios positivos, puedes continuar recitando cada día el decreto, si lo deseas, y escribir los resultados.

Capítulo 3

Vivir una vida espiritual en un mundo material

Expresar tu Yo Superior

C on una comprensión básica del Yo Superior y la chispa divina que está en el corazón, vamos a echar una mirada a cómo nos expresamos en el mundo físico. Dominar las complejas energías de nuestra naturaleza material puede contribuir a que obtenga-mos mayor armonía en las actividades diarias de la vida, expresemos más la luz del Yo Superior y, por tanto, elevemos nuestra alma.

Llevar una vida espiritual

Es evidente lo difícil que resulta a veces sentirse espiritual estando en un cuerpo físico. Por otro lado, es fácil dejar que lo físico tenga prioridad sobre lo espiritual. Sin embargo, resulta más sencillo todavía permitir que la energía sea atraída por la densidad del mundo material antes que elevar la conciencia a dimensiones espirituales. De todos modos, además del cuerpo, también los pensamientos y las emociones forman parte de la conciencia terrenal con la que todos hemos de tratar. Quienquiera que haya meditado alguna vez sabe lo que significa la distracción motivada por las sensaciones del cuerpo, la persistencia de los pensamientos fortuitos y la intrusión de las emociones.

Muchos instructores de meditación aconsejan a sus alumnos que den la bienvenida a estas distracciones y que las reconozcan por lo que son si quieren superarlas y avanzar hacia un estado superior de conciencia. De hecho, una de las pruebas más duras en el aula de la Tierra consiste en integrar las energías del Espíritu con las de la materia. Vivir una verdadera vida espiritual significa expresar la espiritualidad en todos los ámbitos: físico, mental y emocional. Veamos lo que ello implica.

Llevamos puestos cuatro cuerpos inferiores

Las energías espirituales de nuestra naturaleza superior se hallan contenidas en lo que los maestros ascendidos denominan los «tres cuerpos superiores»: la Presencia YO SOY, el Cuerpo Causal y el Santo Ser Crístico. Existen además cuatro «cuerpos inferiores», que usamos para expresarnos en el mundo material. Son: el cuerpo físico, el emocional, el mental y el etérico. Los tres últimos están compuestos de una forma de materia que vibra a frecuencias más elevadas que la sustancia física, lo cual los hace invisibles al ojo humano común. Los cuatro cuerpos inferiores ofrecen al alma la oportunidad de crecer y desarrollar una mayor conciencia de sí misma y adquirir más maestría durante la realización de los quehaceres cotidianos.

El alma (vestida con los cuatro cuerpos inferiores) recibe la radiación de la Presencia YO SOY a través del Santo Ser Crístico con el fin de experimentar la materia, de lograr el dominio de sí misma y de llevar a cabo su plan divino. El alma es la receptora de esta luz divina porque representa la polaridad femenina del ser. El Yo Superior es la polaridad masculina, la luz del Espíritu de donde procede la energía creadora.

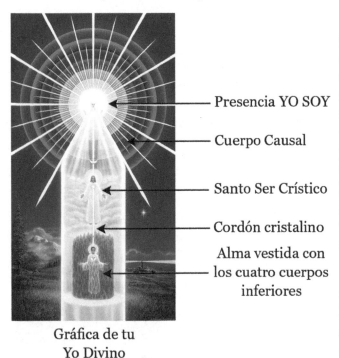

Presencia YO SOY

Cuerpo Causal

Santo Ser Crístico

Cordón cristalino

Alma vestida con los cuatro cuerpos inferiores

Gráfica de tu
Yo Divino

Los cuatro cuerpos inferiores sirven a un propósito sagrado. Puesto que son la morada del alma mientras esta se halla en la materia, es fundamental que entendamos que debemos realizar el mejor uso de ellos a fin de acelerar nuestro progreso en el sendero espiritual. Cada uno de los cuerpos posee una conciencia independiente, y, sin embargo, actúan juntos como un todo, influyendo unos en otros. Son vehículos que el alma utiliza para transportarse en el mundo material. Cada cuerpo o vehículo tiene una función específica y ha sido diseñado para facilitar la misión del alma en la Tierra.

En el segundo capítulo, veíamos que la materia es un reductor de la energía espiritual que se ha fundido en la forma. Al igual que los cuerpos superiores, los inferiores están compuestos de energía. Puedes visualizarlos como envolturas de campos energéticos que se interpenetran entre sí y que rodean al alma, cada uno vibrando a diferente velocidad. En la gráfica que te mostramos a continuación puedes observar el nivel de su vibración, desde la más alta a la más baja.

Cuatro cuerpos inferiores	Elementos correspondientes	Nivel de vibración
Etérico	Fuego	Cuerpo de vibración más alta
Mental	Aire	
Emocional	Agua	
Físico	Tierra	Cuerpo de vibración más baja

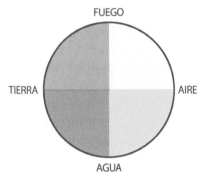

Se puede vincular a los cuatro cuerpos inferiores con los elementos fuego, aire, agua y tierra, de modo que el etérico se corresponde con el elemento fuego, ya que nos permite percibir a Dios como fuego sagrado. Se puede relacionar al cuerpo mental con el elemento aire debido a la naturaleza rápida y cambiante del pensamiento. El cuerpo emocional correspondería al elemento agua, la cual fluye constantemente como las emociones. Por último, el cuerpo físico se relaciona con el elemento tierra, ya que se usa para anclar la luz del Espíritu en la materia.

Es posible elevar la vibración de los cuatro cuerpos inferiores mediante la luz espiritual del Yo Superior a fin de que sean los mejores instrumentos para el desarrollo del alma. Para facilitar la comprensión acerca de cómo dominar las energías de dichos cuerpos es conveniente observar sus funciones específicas. A medida que las estudies, puedes ir reflexionando sobre el funcionamiento de cada uno de los cuerpos en tu vida actual.

El cuerpo etérico

El cuerpo etérico, también conocido como cuerpo de la memoria, contiene todos nuestros recuerdos. La memoria es muy importante ya que nos suministra la base de datos en la cual fundamentamos las elecciones que hacemos en el presente y permite asimismo que el buscador progrese en la vida. Lo graba todo: desde un breve instante en la infancia hasta una profunda comprensión de quiénes somos en el Espíritu.

La memoria define la identidad. En un dictado que data de 1967, el maestro ascendido Serapis Bey señaló: «Sin memoria la identidad se perdería. Sin memoria no se percibiría el propósito, ni tampoco habría integración del mismo. El don de la memoria está destinado a ser una facultad purificada que Dios ha diseñado para capacitar a los hombres a fin de que se eleven en conciencia, paso a paso, hasta que obtengan el dominio sobre sí mismos».[36]

El cuerpo etérico no solo conserva el recuerdo de la vida presente, sino también el de todo lo que ha vivido el alma desde que fue creada. Todos los pensamientos, sentimientos, palabras y obras que alguna vez haya expresado a través de los cuerpos mental, emocional y físico quedan grabados en el denominado cuerpo etérico inferior. Incluso aunque no se perciban conscientemente esos recuerdos, el alma es consciente de ellos a niveles internos.

Todo el mundo ha tenido recuerdos dolorosos. Estos pueden causar miedo, ansiedad, rabia o tristeza en el presente, aunque el incidente haya tenido lugar hace muchos años o muchas vidas. Los recuerdos intensos, incluidos los inconscientes, pueden llegar a impedir la realización y el crecimiento personales, y hasta pueden evitar el reconocimiento, por parte del buscador, de la misión de su alma.

Por ser el de más elevada vibración, el cuerpo etérico constituye la entrada a los cuerpos superiores. Por lo tanto, puede recibir mucho más fácilmente la iluminación del Yo Crístico para luego transmitir esa luz a los tres cuerpos inferiores restantes. Cuando se ha limpiado el cuerpo etérico de recuerdos negativos, uno se vuelve libre para tener el único y más importante recuerdo que Dios imprimió sobre él al principio: el recuerdo del proyecto divino original del alma. Este permanece guardado en el cuerpo etérico superior y tiene una doble vertiente: 1ª) el proyecto de origen, que es la creación del alma a imagen y semejanza de Dios, y 2ª) el proyecto del plan divino del alma, que le fue entregado al principio y que vino a cumplir en las dimensiones de la materia. Este proyecto divino original tiene más de cuatro dimensiones y contiene el registro y la naturaleza de la Presencia YO SOY.

Cuanto más claro vea el buscador ese proyecto original interno, más probable será que lo manifieste; y cuando desarrolla su potencial interno más elevado, el alma siente alegría. Así que

---

36. *Pearls of Wisdom*, vol. 10, nº 17, pág. 2.

el proyecto original está ahí, pero debido a las cicatrices que tiene el cuerpo etérico con motivo de dolorosas experiencias pasadas, no siempre percibimos el patrón divino. Más adelante en este capítulo hablaremos de una energía espiritual de alta frecuencia que es capaz de borrar literalmente los recuerdos negativos. La purificación con este borrador cósmico —la llama violeta transmutadora— puede capacitarnos para percibir nuestro proyecto original interno más rápido y avanzar para llevar a cabo nuestro potencial divino.

El cuerpo etérico sirve asimismo de vehículo para los viajes que el alma efectúa fuera del cuerpo mientras duerme. Nos extenderemos sobre este asunto en el segundo libro de Aventura del Espíritu (*Conoce a los Maestros*).

El cuerpo mental

El cuerpo mental vibra en el nivel que está justo por debajo del cuerpo etérico. La función evidente del cuerpo mental es pensar. Lo empleamos para analizar y organizar información con el fin de resolver problemas y sacar conclusiones sobre multitud de situaciones que la vida nos presenta. Necesitamos un cuerpo mental que funcione bien para razonar, concentrarnos y comunicarnos clara y eficazmente con los demás. Podemos desarrollar y fortalecer el cuerpo mental ejercitándolo, como sucede con el cuerpo físico. Ello se consigue por medio de la lectura, el estudio y la meditación.

El aprendizaje del control y la disciplina sobre los procesos de pensamiento es un elemento esencial del sendero espiritual. El pensamiento, que funciona a niveles energéticos invisibles, es una fuerza dinámica y creativa. Por tanto, cómo y qué pensamos puede influir enormemente en el resultado de las circunstancias de nuestra vida. Muchos instructores espirituales, terapeutas y autores de autoayuda hablan del poder del pensamiento positivo. Cuando pensamos de forma positiva, creamos una matriz de energía capaz de magnetizar situaciones positivas. Los maestros nos enseñan que los pensamientos pueden resultar destructivos en ocasiones e incluso apartarnos del camino, alejándonos de nuestro propósito divino.

Utilizar el cuerpo mental constituye un desafío que consiste en agudizar las destrezas del pensamiento y la lógica, al mismo tiempo que confiamos en la guía de nuestra mente superior para adquirir una fina percepción de la realidad. Este es el camino de la sabiduría. El cerebro es capaz de almacenar un sinnúmero de datos sobre muchísimos temas, mas sin sabiduría todo el conocimiento del mundo tiene un valor limitado. La Biblia, en el libro de Proverbios, señala: «Sabiduría ante todo; adquiere sabiduría, y sobre todas tus posesiones adquiere inteligencia».[37]

El estudio, la introspección y el análisis, unidos a la iluminación con la mente de Dios, aportan sabiduría e inteligencia. El alma recibe sabiduría a través de la luz del Cristo. Los gnósticos[38],

---

37. Proverbios 4:7

38. El término *gnósticos* describe a un grupo de diversas sectas cristianas que florecieron en los siglos II y III d. C. Los gnósticos proclamaban poseer una enseñanza avanzada que secretamente les había sido transmitida por Jesús y su círculo más íntimo de discípulos.

quienes creían que la salvación del alma dependía de la *gnosis* (palabra griega que designa «conocimiento» o «comprensión»), enseñaron este principio. Según las obras de los gnósticos, Jesús es el maestro espiritual y el revelador de la sabiduría que guía al discípulo al conocimiento de uno mismo. Esta búsqueda de la gnosis implicaba no solo la de ese tipo de conocimiento sino también la búsqueda del conocimiento de Dios, del cosmos y del destino.

> *Haya, pues, en vosotros este sentir[39] que hubo también en Cristo Jesús.*
>
> FILIPENSES 2:5

Una búsqueda tal precisa ir más allá de los límites de la mente finita y acceder a la mente universal de Dios, que es infinita. Ello se consigue por medio del Santo Ser Crístico, es decir, la conciencia crística. El cuerpo mental está diseñado para poder acceder a esa conciencia crística que provee iluminación e ideas divinas, las cuales, a su vez, nos proporcionan una elevada conciencia de nosotros mismos y de nuestra relación con Dios y con el universo.

Un cuerpo mental que funcione bien es necesario para facilitar tal proceso. De ello resulta evidente que la mente es mucho más que el cerebro, el cual es un mero instrumento que la mente utiliza para actuar en el plano físico. El cerebro, no obstante, desempeña un papel importante. Los hemisferios derecho e izquierdo del cerebro son responsables de realizar la doble función de la mente. Mientras que el lado izquierdo favorece el análisis y el pensamiento lógico, el derecho ayuda a acceder a la parte intuitiva y creativa de la mente, de modo que abre la puerta a la conciencia del Cristo. Cuando los dos hemisferios están equilibrados, el cuerpo mental es más fuerte. Y cuando se ha fortalecido y purificado, se convierte en una ayuda inestimable para progresar en el sendero espiritual.

> *Nosotros deseamos que el hombre sepa que la mente humana es una con la mente divina de Dios, de forma parecida a como una gota de agua es una con el océano. Al poseer el poder de la reflexión, la mente no puede obviar el examen de la Inteligencia reflejada en ella de manera que, por medio de los procesos de razonamiento y análisis, expanda ese pensamiento mediante la luz. Cuando los conceptos se desarrollan hacia formas de pensamiento o patrones de luz, regresan al cuerpo etérico para ser almacenados en la «Casa de la memoria». El cerebro de los hombres no equivale a su mente. No es sino un foco a través del cual los procesos mentales operan en el reino físico.[40]*
>
> MAESTRO ASCENDIDO SERAPIS BEY

---

39. La cita bíblica original en inglés (versión King James) utiliza la palabra *mind* («mente») en lugar de «sentir», que corresponde a la traducción española de la Biblia. [N. de la T.]
40. Serapis Bey. Lección 6 de la Fraternidad de los Guardianes de la Llama. Gardiner, Montana, EE.UU.: Summit University Press, 1972; pág. 17.

El cuerpo emocional

Es el cuerpo de la energía en movimiento, es decir, de la *e-moción*. También se le llama cuerpo de los deseos o cuerpo astral. Es el lugar donde se experimentan los sentimientos (amor, miedo, frustración, esperanza o aspiraciones). Podemos experimentar intensos deseos o fuertes emociones, y sentirlos como si fueran olas de energía que nos impulsan a actuar. Se suele decir que uno se siente «conmovido» cuando oye una historia que expresa profunda emoción.

El cuerpo emocional permite que el alma perciba la belleza del Espíritu tanto en el mundo visible como en el invisible. En la medida en que experimentemos sentimientos espirituales, como son el amor, la compasión, la gratitud y la alegría, podremos expresar esas emociones positivas para llevar consuelo y ayuda a otros. Cuando procuramos ver la belleza y la divinidad dentro de cada persona, nos volvemos una poderosa fuerza promotora de un cambio positivo en el mundo.

A nadie se le escapan los efectos producidos por las emociones negativas que acontecen en la vida de los individuos y en la escena mundial, desde leves discusiones hasta comportamientos más destructivos. El estallido de guerras y de violencia puede ser consecuencia de sentimientos intensos de rabia, prejuicios, odio y venganza. Cuando las personas son incapaces de manejar sus emociones acaban, de uno u otro modo, perjudicándose a sí mismas o a otros.

La energía en movimiento del cuerpo emocional puede ser la más turbulenta y difícil de controlar de los cuatro cuerpos inferiores. Sin embargo, el control de esa energía aporta paz y armonía al alma y le permite convertirse en un estanque que refleja la belleza e inspiración de su realidad divina.

El cuerpo físico

Es el vehículo del poder y de la acción. Se trata, en sentido literal, de las manos y los pies de los tres cuerpos restantes. No hay que subestimar, no obstante, el papel que desempeña en la manifestación de la naturaleza espiritual del individuo. El cuerpo físico es el medio por el cual predicamos con el ejemplo y concretamos nuestras intenciones. Puede emplearse para expresar el amor que sentimos por los demás a través de palabras amables o echándoles una mano, por mencionar un ejemplo.

Al usar el cuerpo físico, el buscador puede hacer que baje a la Tierra la belleza que percibe en los reinos superiores. Su objetivo principal es afianzar la luz del Espíritu en la materia. Por ejemplo, los artistas utilizan sus manos, y los cantantes de ópera, sus cuerdas vocales, para crear obras de arte que edifiquen e inspiren al corazón y al alma de quienes las vean y escuchen.

Resulta fácil comprobar la relación entre el cuerpo físico y el elemento tierra, ya que aquel se mantiene gracias a los frutos de la tierra. El cuerpo físico es el más denso en vibración de los cuatro cuerpos inferiores, y la tierra es el más denso de los cuatro elementos. Pese a ello, saber que ambos fueron creados a partir de la energía del Espíritu nos motiva a tratarlos con amor y respeto. Cuanto más imbuimos nuestro cuerpo físico y la Madre Tierra de las energías del Espíritu, más nos ayudarán a llevar a cabo nuestra labor sagrada.

> *¿No sabéis que sois templo de Dios, y que el Espíritu de Dios mora en vosotros?*
>
> I Corintios, 3:16

Cada uno de los cuatro cuerpos inferiores tiene el potencial de manifestar la luz y la belleza de la naturaleza espiritual del alma, y juntos pueden ayudarle en su misión. De igual modo, las impurezas o los desequilibrios en ellos pueden poner en peligro la capacidad del alma de progresar espiritualmente. A continuación veremos cómo los cuerpos se relacionan entre sí para así adquirir un mejor entendimiento de la importancia de fortalecer cada uno a fin de crear un todo íntegro.

La conexión entre mente, cuerpo y espíritu

La vida está llena de claros ejemplos de cómo un cuerpo afecta a otro. Un disgusto emocional puede traducirse en un trastorno en el estómago. Peor aún: el estrés y la agitación constantes pueden originar una depresión nerviosa. Si nos recreamos con pensamientos pesimistas y deprimentes, quizá lleguemos a sentir miedo y ansiedad, lo que, a su vez, nos hará difícil pensar con claridad.

En cambio, cuando abrigamos pensamientos positivos, estamos más predispuestos a mostrar una actitud tranquila y alegre. Los estados de tranquilidad y armonía estimulan el sistema inmunológico y nos hacen menos propensos a las enfermedades. Al reconocer la esencia divina del alma, grabada en el cuerpo etérico, nos volvemos más receptivos a las ideas creativas y a la inspiración, que nos alientan a cumplir nuestras metas.

Diversos estudios realizados en el campo de la medicina denominada de «cuerpo-mente» confirman la relación existente entre la mente, el cuerpo y las emociones, y examinan los efectos de los unos en los otros. Veamos un ejemplo. Numerosos estudios clínicos han demostrado los efectos positivos del amor y del apoyo para prevenir enfermedades cardiovasculares. Los investigadores de la medicina cuerpo-mente han demostrado que cuando las personas se sienten amadas, esos sentimientos se traducen en mensajeros bioquímicos que circulan hasta las células y los tejidos del cuerpo, produciendo resultados beneficiosos. Asimismo han mostrado que los pensamientos positivos ejercen una influencia similar en el cuerpo.

Cierto estudio demostró el poder curativo que tenía el hecho de resolver pensamientos y sentimientos negativos asociados a sucesos traumáticos. El estudio se centraba en pacientes que participaban en un proceso de sincero autoexamen para liberarse de sus pensamientos y sentimientos más profundos y dolorosos a través de la escritura y la conversación. La disminución de las consultas al médico, la mejora de la función inmunizadora del suero y el aumento del rendimiento en el trabajo se cuentan entre los resultados constatados.[41]

Este estudio ha demostrado que podemos eliminar de nuestro cuerpo la energía vinculada a pensamientos, sentimientos y recuerdos negativos. Las energías curativas pueden reemplazar a la de los traumas del pasado.

Los maestros ascendidos han explicado que muchas enfermedades tienen su origen en los cuerpos etérico, mental y emocional. En un dictado de 14 de octubre de 1973, la Maestra Ascendida Meta dijo que el cuerpo etérico es el de la causa, y el físico, el del efecto. Todo aquello que ocurre en el cuerpo físico se origina en la memoria del hombre. Este impulso inicial se graba entonces en el cuerpo mental y el de los deseos, y finalmente se manifiesta en el cuerpo físico.

Cuando reconocemos que los cuatro cuerpos inferiores son los vehículos que el alma utiliza para llevar a cabo sus fines espirituales, nos damos cuenta de lo importante que es comprender la relación que existe entre ellos a medida que vamos trabajando para purificarlos y sanarlos. El equilibrio y la armonía son una pieza clave si se quiere hacer de ellos vehículos apropiados para el alma.

El éxito de cualquier empresa que acometamos depende de la cooperación de esos cuatro cuerpos. De hecho, cada uno de los cuerpos ejerce una función esencial en todo lo que hagamos; por ejemplo, para ejecutar proyectos o planes. Cualquier proyecto o meta es un proceso que consta de cuatro pasos y que requiere de los cuatro cuerpos:

1. A través del cuerpo etérico recibes la inspiración o idea para iniciar el proyecto.

2. El cuerpo mental te hace falta para pensar en los detalles del proyecto y elaborar una estrategia o plan para ejecutar la idea.

3. El cuerpo emocional genera el deseo y la motivación para llevar el proyecto a su conclusión.

4. El cuerpo físico lleva a cabo el plan en el plano físico.

La existencia de alguna forma de debilidad en cualquiera de los cuerpos puede crear un desequilibrio e impedir el cumplimiento de los objetivos. Por ejemplo, algunas personas tienen ideas increíbles, pero a causa de bloqueos en el cuerpo emocional puede que sean incapaces de mantener el deseo y la pasión que les concederían la resistencia o el aguante precisos para que esas ideas dieran su fruto. Hay quienes tienen un gran corazón y un enorme deseo de servir al prójimo, pero carecen de una mente capaz de planificar con detalle, que traduzca ese deseo en un plan de acción positivo. Observar nuestros puntos fuertes y los débiles en estos ámbitos puede ayudar a corregir cualquier desequilibrio y conducirnos a empresas más productivas.

---

41. Obtenido de un estudio dirigido por el Dr. James Pennebaker, profesor de psicología y autor de *Opening Up: The Healing Power of Confiding in Others* (Nueva York: Avon, 1991), publicado en la web The Mind/Body Connection, www.mindbodymed.com/index.html.

Autoevaluación: Cómo te relacionas con tus cuatro cuerpos inferiores

Este ejercicio sirve para ayudarte a evaluar el modo en que te relacionas con cada uno de tus cuatro cuerpos inferiores. Quizá descubras que uno o varios predominan sobre los otros. Eso es lo que le ocurre a la mayoría de la gente. Puede también que el ejercicio te revele facetas que te gustaría desarrollar o fortalecer para poder conseguir un mayor equilibrio en tu vida.

1. En una escala del 1 al 5, en la que 1 significa «nunca» y 5 significa «siempre», por favor, puntúa las siguientes afirmaciones basándote en tu propia percepción.

a) Cómo me relaciono con mi cuerpo físico:	1	2	3	4	5
Las imágenes o pensamientos que tengo sobre mi cuerpo son positivos.					
Cuando estoy estresado, paro para relajarme.					
Hago ejercicio con regularidad.					
Descanso lo suficiente.					
Vivo y trabajo en un entorno que me resulta agradable.					
Tomo alimentos que sé que son buenos para mí.					

b) Cómo me relaciono con mi cuerpo emocional:	1	2	3	4	5
Cuando me encuentro en una situación tensa, permanezco tranquilo y centrado.					
Soy una persona abierta y que ama a los demás.					
Por regla general, sigo mis instintos viscerales.					
Me nutro haciendo cosas que me hacen feliz.					
Estoy motivado cuando trabajo en proyectos.					

	1	2	3	4	5
Aprecio la belleza en los demás y en el mundo que me rodea.					
Me siento alegre y feliz la mayor parte del tiempo.					

c) Cómo me relaciono con mi cuerpo mental:	1	2	3	4	5
Antes de tomar una decisión, pienso en los pros y los contras del asunto en cuestión.					
Me gusta leer y estudiar.					
Entiendo la dinámica de los problemas y las situaciones.					
Cuando trabajo en un proyecto, planifico todos los aspectos con mucho cuidado.					
Capto con facilidad ideas nuevas.					

d) Cómo me relaciono con mi cuerpo etérico:	1	2	3	4	5
Tengo inspiración y me surgen ideas nuevas.					
Cuando tomo una decisión, busco la guía de mi Yo Superior o de un poder superior.					
Uso lo que he aprendido en el pasado para dirigir mis actos.					
Mi intuición me guía.					
Creo que sigo el rumbo conducente a realizar mi misión en la vida.					

2. Suma las puntuaciones en cada uno de los cuerpos. Una puntuación alta indica fortaleza en el cuerpo correspondiente.

3. Tómate unos minutos para revisar las puntuaciones. ¿Qué cuerpos predominan en ti? ¿Cuáles tienes menos desarrollados?

4. Piensa en maneras prácticas de desarrollar los cuerpos que tengas más débiles para lograr mayor equilibrio en los cuatro cuerpos inferiores. Anótalas en tu diario.

Purificar los cuatro cuerpos inferiores

Podemos conseguir el mayor progreso espiritual posible y devolver al alma su integridad original al purificar y el equilibrar las energías de los cuatro cuerpos inferiores. Aunque hay muchas formas de proceder, incluidas la psicoterapia y diversas modalidades curativas, los maestros ascendidos nos han dado unas maravillosas herramientas espirituales para acelerar el proceso.[42]

La luz curativa de la Presencia YO SOY

La luz de la Presencia YO SOY puede equilibrar y curar los cuatro cuerpos inferiores de diversas maneras.

En el primer capítulo vimos cómo meditar en el nombre de Dios, «YO SOY EL QUE YO SOY» y utilizar las afirmaciones YO SOY. Cuando se pronuncian con plena fe y devoción, estas afirmaciones dirigen la luz de tu Presencia YO SOY hacia cualquier situación que estés afrontando. Por ejemplo, si dices: «YO SOY la perfecta armonía que se manifiesta en mi cuerpo emocional» o «YO SOY la mente clara de Dios actuando en esta situación», estás afirmando que Dios en ti, tu Presencia YO SOY, está produciendo la situación deseada. En los Discursos del 'YO SOY', el Maestro Ascendido Saint Germain señala: «Recuerda constantemente a la conciencia externa que cuando dices 'YO SOY' has puesto en acción todos los atributos de la Divinidad [...]. Cuando dices 'YO SOY' en cualquier circunstancia, significa que tiene lugar una acción instantánea por medio del Poder más Grande del Universo. En cuanto te vuelves consciente de que el 'YO SOY' es la plena actividad de Dios, que contiene todos los atributos de la divinidad, posees al momento el uso total de este gran poder».[43]

Invocar directamente el corazón de tu Presencia puede producir asimismo asombrosos resultados. Son muchas las historias de estudiantes de los maestros ascendidos en las que estos han batallado con un problema hasta que se han acordado de hacer un llamado rápido a su Presencia YO SOY. Al instante, la solución surgió ante ellos. Siempre que te encuentres con un desafío, ya sea grande o pequeño, simplemente di: «Poderosa Presencia YO SOY, ayúdame por favor a [*espacio para tu petición*].

Otra vía para atraer la luz de tu Yo Superior a tus cuatro cuerpos inferiores es a través de la meditación. Poner la atención en tu Presencia para un propósito concreto, como en la meditación que sigue, puede producir una acción poderosa y armonizadora para obtener integridad y equilibrio.

---

42. La luz de la Presencia YO SOY y la llama violeta, de las que se habla en este capítulo, pueden ciertamente facilitar la curación. Son métodos adicionales a las técnicas médicas responsables, pero no las sustituyen. The Summit Lighthouse, Summit University, Summit University Press, Mark L. Prophet y Elizabeth Clare Prophet no garantizan a nadie que el método espiritual en que consiste la ciencia de la Palabra hablada, incluidos los decretos, la visualización o la meditación, proporcione resultados satisfactorios a cualquier persona en algún momento. Siempre debemos tener la sensatez de seguir las principales leyes de salud, alimentación y vida sana, así como consultar con un profesional de la medicina cuando sea necesario. La ciencia médica tiene mucho que ofrecer y, si hace falta, deberíamos seguir las pautas de la medicina tradicional.

43. Godfré Ray King: *The «I AM» Discourses de Saint Germain*. Chicago: Saint Germain Press, 1940; pág. 57.

Meditación: Irradiar la luz del Espíritu a través de tus cuatro cuerpos inferiores

La meditación que te presentamos a continuación se ha diseñado como ayuda para atraer la luz del Espíritu, de la energía de tu Presencia YO SOY, e irradiarla a través de tus cuatro cuerpos inferiores con objeto de limpiarlos y purificarlos.

1. Ve a tu interior y dirige la atención al corazón. Si quieres, coloca la mano encima para ayudarte a dirigir allí tu conciencia.

2. Respira profundamente hasta que te sientas tranquilo y centrado.

3. Con los ojos cerrados, entona las palabras YO SOY EL QUE YO SOY nueve veces.

4. Visualiza y siente la luz divina de tu Presencia yo soy descendiendo por tu cordón cristalino a través de tu Yo Crístico hasta tu corazón.

5. Seguidamente, siente y visualiza esa luz expandiéndose desde tu corazón hacia fuera y penetrando cada uno de tus cuatro cuerpos inferiores, uno tras otro.

6. Deja que la energía de luz fluya primero por tu cuerpo físico, irradiando cada órgano y célula. Visualiza la luz fluyendo y consumiendo cualquier problema físico que tengas, produciendo salud y vitalidad perfectas.

7. En tu cuerpo emocional, deja que la luz de tu Presencia YO SOY irradie hacia cualesquiera sentimientos negativos que puedas tener. Permite que disuelva toda rabia, frustración, ansiedad, miedo o pena. Siente cómo te inunda, eliminando toda tensión y estableciendo una paz profunda.

8. Al pasar la luz-energía a tu cuerpo mental, obsérvala penetrando y consumiendo cualquier pensamiento negativo o preocupante. Visualiza esos pensamientos disolviéndose mientras la luz de tu Presencia los atraviesa, y produce una actitud mental positiva.

9. Ahora, en el cuerpo etérico, intenta recordar algo doloroso. Dirije la luz de tu Presencia YO SOY a ese recuerdo y mira cómo disuelve cada aspecto del recuerdo hasta que desaparezca por completo.

10. Concluye la meditación con las siguientes afirmaciones:

¡YO SOY la perfecta integridad y armonía de mis cuatro cuerpos inferiores manifestada ahora! (Repítase tres veces)[44]

¡YO SOY quien está agradecido/a por el regalo de luz en mi mundo hoy! (Repítase tres veces)

¡YO SOY luz, luz, luz! (Repítase tres veces)

---

44. 'Repítase tres veces' en las afirmaciones y decretos significa que hay que repetir la línea o estrofa tres veces.

El poder curativo de la llama violeta

Fíjate en el alma y sus cuatro cuerpos inferiores, representados por la figura inferior de la gráfica de tu Yo Divino, rodeada de llamas de color violeta. Esas llamas ilustran una energía espiritual de alta frecuencia denominada llama violeta, que puedes invocar mediante la Palabra hablada.

La llama violeta actúa a niveles energéticos sutiles de nuestro ser para consumir pensamientos, sentimientos y recuerdos negativos que se han acumulado a lo largo de muchas vidas. Muchas personas que han invocado esta energía transformadora han observado cambios espectaculares —físicos, mentales, emocionales y espirituales— cuando la han utilizado con regularidad.

Cuando la llama violeta limpia el cuerpo etérico de impresiones y recuerdos negativos, la perfección original del proyecto divino aparecerá resplandeciente. El buscador verá entonces, con más claridad, el plan divino para su alma. A medida que vamos purificando los cuatro cuerpos inferiores, se vuelven recipientes más limpios para recibir la luz del Santo Ser Crístico. Y, al encarnar más la conciencia crística, uno se convierte en una fuente de bendición y curación para cualquier otro individuo. En el apartado «El poder liberador de la Palabra» que viene a continuación, aprenderás más acerca de las cualidades de esta energía purificadora y verás que al invocarla puede producir resultados aparentemente milagrosos.

Alma en el cuerpo físico

La llama violeta transmutadora

L a maravillosa energía sagrada de la llama violeta transmutadora puede ayudar a purificar los cuatro cuerpos inferiores y ayudar al alma a realizar su misión. Este apartado presenta el uso de este elixir espiritual transformador. Pero, antes de examinar con más detalle cómo funciona la llama violeta, conviene profundizar en las características de los decretos dinámicos y en cómo obtener el máximo beneficio de la Palabra hablada.

La apertura y el cierre de un decreto

En el segundo capítulo se mencionaron las tres partes que formaban un decreto: el preámbulo, la parte principal o cuerpo del decreto y el cierre, y viste las características de la parte principal. Este apartado trata el preámbulo y el cierre del decreto dinámico con mayor profundidad.

El preámbulo

Es como el saludo de una carta: dice a quién se dirige el decreto. Los decretos se pronuncian en nombre de nuestra Presencia yo soy y nuestro Santo Ser Crístico. Cuando llamamos al Yo Superior nos conectamos con nuestro pleno potencial divino. Podemos asimismo llamar al Santo Ser Crístico de toda la humanidad para reforzar esa acción.

Puedes llamar también a determinados maestros ascendidos o ángeles para que te ayuden a cumplir tu petición. El preámbulo de cada decreto nombra ciertos seres espirituales relevantes, a través de cuyo corazón fluye una extraordinaria cantidad acumulada de energía de la cualidad o virtud expresada en la parte principal del decreto. Esos seres son centros principales de emisión o recepción de aquella luz, y están siempre deseosos de concedernos las cualidades divinas que pedimos cuando se emplea la energía para fines positivos. Por ejemplo, si en nuestra oración pedimos protección, sería útil nombrar al Arcángel Miguel en el preámbulo, ya que él es un arcángel de protección.

Según la ley cósmica, el llamado exige respuesta. Los maestros ascendidos han explicado que, cuando les llamamos con devoción en el nombre de nuestra Presencia yo soy y nuestro Santo Ser Crístico, ellos tienen la obligación espiritual de ir donde nos encontremos. El Maestro Ascendido Saint Germain señala que el procedimiento es tan seguro como cuando llamas por teléfono a los bomberos o disparas la alarma de fuego. Los bomberos salen y se apresuran al lu-

Vivir una vida espiritual en un mundo material   67

gar desde donde les has llamado. De igual modo, los maestros acuden cuando los llamas. Nunca están demasiado ocupados para ayudar. Cuando vienen, manifiestan la perfección de la cualidad que has invocado. Así que, si pides a un maestro la cualidad cósmica de la misericordia, él o ella debe proporcionar esa cualidad.

Veamos a continuación el preámbulo de un decreto:

> «En el nombre de la amada victoriosa Presencia de Dios, YO SOY en mí, mi muy amado Santo Ser Crístico, Santos Seres Crísticos de toda la humanidad y amado Arcángel Miguel, yo decreto...»

Luego sigues con la parte principal del decreto.

El cierre

Constituye la aceptación por tu parte de que la «carta» se ha recibido en el corazón de Dios. Sella la acción de la precipitación que hace que la luz del Espíritu descienda de forma tangible a la materia. Es el momento en el que anunciamos al universo que el decreto que acabamos de recitar se convertirá en algo físico en nuestra vida. La mayoría de decretos contienen el siguiente cierre formal:

> ¡Y con plena Fe acepto conscientemente que esto se manifieste, se manifieste, se manifieste! (recítese tres veces), ¡aquí y ahora mismo con pleno Poder, eternamente sostenido, omnipotentemente activo, siempre expandiéndose y abarcando el mundo hasta que todos hayan ascendido completamente en la Luz y sean libres!
> ¡Amado YO SOY! ¡Amado YO SOY! ¡Amado YO SOY!

El cierre y el preámbulo son partes muy poderosas en un decreto. Por ello es muy importante que las incluyas a ambas. De modo que primero vas a recitar el preámbulo, luego la parte principal del decreto y finalmente el cierre, cuando practiques la llama violeta en este apartado.

La llama violeta transmuta la negatividad

Veamos ahora más de cerca la llama violeta. Se trata de una luz cósmica especial que nos presentó el Maestro Ascendido Saint Germain. Como hemos mencionado anteriormente, es una herramienta maravillosa que ayuda a aclarar la mente, liberar emociones y sanar el cuerpo. Al invocar la llama violeta mediante los decretos, el alma puede reunirse más pronto con su Santo Ser Crístico y cumplir su razón de ser.

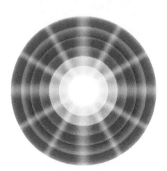

Cuerpo Causal

Del mismo modo en que la luz blanca del Sol se refracta en los siete colores del arco iris, la luz pura de la Presencia YO SOY se manifiesta en forma de siete rayos espirituales. Estos constan de varias esferas del Cuerpo Causal que rodean a la Presencia YO SOY. Cada uno de estos rayos espirituales posee un color y una frecuencia específicos, así como sus propias cualidades singulares.

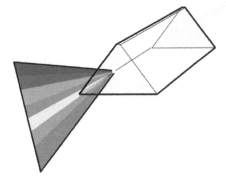

La energía divina de cada uno de estos rayos se convierte en una «llama» cuando la invocas mediante la Palabra hablada para que actúe. Este proceso es comparable al modo en que un rayo de luz solar pasa a través de una lupa y genera una llama física.

La llama violeta es una luz espiritual de alta frecuencia que, desde la esfera violeta del Cuerpo Causal, desciende por el cordón cristalino hasta el alma. La frecuencia específica del rayo violeta transmite la acción de la misericordia, la justicia, la libertad y la transmutación. Esta última es el proceso mediante el cual se transforma una cosa en una forma superior. Así que la vibración de la llama violeta tiene la capacidad de transmutar los elementos impuros de los cuatro cuerpos inferiores, confiriéndoles una vibración más cercana a la del Yo Superior.

Si se emplea con regularidad, la llama violeta puede crear transformación en todos los niveles del ser. Puede proporcionarte vigor y contribuir a la superación de problemas físicos y de complejos o inhibiciones emocionales. Puede generar en el alma optimismo y libertad para que realice su plan divino. Los maestros la denominan el disolvente universal debido a su magnífica habilidad para disolver problemas a niveles sutiles de energía.

La llama violeta

La llama violeta puede, específicamente, echar una mano en las preocupaciones materiales que afrontamos a diario. El Maestro Ascendido Saint Germain afirmó: «La llama violeta es el antídoto supremo para los problemas físicos». Explicó que esta llama posee la capacidad de cambiar las condiciones físicas porque, de todas las frecuencias espirituales, la violeta es la más próxima en acción vibratoria a los componentes de la materia. «La llama violeta puede fusionarse con cualquier otra molécula o estructura molecular, con cualquier partícula de materia conocida o desconocida, con cualquier onda de luz, electrón o electricidad», dijo. «Dondequiera que [la gente] se reúna para invocar la llama violeta, ¡allí notaréis en seguida una mejora de las condiciones físicas!»[45]

Puedes dirigir la llama violeta hacia enfermedades, situaciones de estrés, relaciones o estados de salud indeseables. Algunas veces la solución llega rápido, y otras, es el resultado de un proceso gradual de cambio. De uno u otro modo, funciona, siempre y cuando nos empeñemos con sincero esfuerzo y usemos la llama violeta con regularidad.

---

45 *Pearls of Wisdom*, vol. 27, nº 61, pág. 553.

¿Cómo funciona la llama violeta?

Los expertos en el antiguo arte oriental del Feng Shui explican que tanto el desorden como el orden en el entorno determinan el flujo de energía que nos rodea. Si los arreglos que efectuamos son armoniosos, la energía fluye libremente. Si no lo son, la energía se bloquea. Ese flujo de energía afecta a la salud, a la abundancia y a las relaciones.

Asimismo, la energía fluye constantemente a nosotros desde la Presencia YO SOY, y puede suceder que quede bloqueada o que se incremente debido a pensamientos, palabras y obras. El desorden en el cuerpo, la mente y las emociones puede provocar un estancamiento de la energía. Todos padecemos alguna forma de desorden en los cuatro cuerpos inferiores. Así como a lo largo de nuestra vida hemos obrado el bien en numerosas ocasiones, también hemos hecho karma negativo, que es el resultado de obras y pensamientos erróneos. Esta energía se ha acumulado y solidificado en nuestros cuerpos físico, mental y emocional. Se pega a los cuerpos inferiores como el lodo. Cuando están cubiertos por los escombros de nuestro karma negativo, no nos sentimos tan felices, vibrantes y espirituales como deberíamos.

La llama violeta es capaz de transmutar literalmente esos «escombros» kármicos. Cuando invocamos la llama violeta mediante los decretos, rodea cada uno de nuestros átomos. Se genera una polaridad entre el núcleo del átomo y la llama violeta. El núcleo, siendo materia, asume la polaridad negativa, y el núcleo de la llama violeta, siendo Espíritu, asume la polaridad positiva.

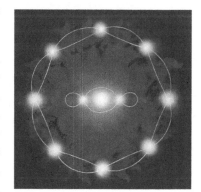

Acción subatómica
de la llama violeta

La interacción entre el núcleo del átomo y la luz de la llama violeta establece una oscilación, es decir, un vaivén. Este rápido movimiento libera la densidad atrapada entre los electrones que giran en órbita alrededor del núcleo. A medida que esa sustancia va siendo liberada, los electrones se van moviendo más libremente y la sustancia negativa es arrojada a la llama violeta. Al entrar en contacto con esta, ese escombro kármico es transmutado y la energía de luz es restaurada a su pureza innata, para regresar al cuerpo causal, donde se almacenan esas esferas concéntricas de luz cual tesoro espiritual. El alma puede entonces ir en busca de su misión y reunirse con su Santo Ser Crístico a través de su sendero de desarrollo espiritual progresivo.

> *Cada día, en todos los aspectos, la llama violeta inunda y renueva las células de vuestro cuerpo, de vuestra mente y el glóbulo de vuestra alma, puliendo la joya de la conciencia hasta que reluce a la luz del Sol.*[46]
>
> MAESTRO ASCENDIDO EL MORYA

46. El Morya. *El discípulo y el sendero: claves para la maestría del alma en la era de Acuario.*

Invocar la llama violeta mediante los decretos

Recitar decretos de llama violeta produce una sensación muy enriquecedora. Es como si nos dieran a probar un poco de libertad con respecto a la escasez, al dolor y a la preocupación. Una vez que sienten cómo actúa la llama violeta en su conciencia y en sus cuatro cuerpos inferiores, la mayor parte de las personas quieren cada vez más.

El cilindro de color violeta que rodea a la persona en la figura inferior de la gráfica de tu Yo Divino te representa a ti, de pie, rodeado de llama violeta.

Cuando recites decretos de llama violeta, estás iniciando un proceso de transmutación que limpia los cuatro cuerpos inferiores y purifica el alma. Ello contribuye a acercarte a la reunión con tu Santo Ser Crístico. Prueba mediante el siguiente ejercicio el uso de la llama violeta y observa por ti mismo lo bien que te sientes después de hacerlo.

Alma en el cuerpo físico

Practica la Palabra hablada: YO SOY la llama violeta

1. Siéntate en una silla cómoda en un sitio donde nadie te interrumpa.

2. Respira profundamente hasta que estés tranquilo y relajado.

3. Dirige tu atención hacia el corazón, colocando una mano encima de él para ayudarte.

4. Recita el siguiente decreto de llama violeta. Repite la parte principal del decreto tres veces para aumentar el efecto.

YO SOY la llama violeta

(Preámbulo)

En el nombre de la amada poderosa victoriosa Presencia de Dios, YO SOY en mí, **mi muy amado Santo Ser Crístico y amados Santos Seres Crísticos de toda la humanidad, yo decreto:**

(Parte principal del decreto)

YO SOY la **Llama Violeta**
en acción en mí ahora
YO SOY la **Llama Violeta**
sólo ante la Luz me inclino
YO SOY la **Llama Violeta**
en poderosa fuerza cósmica

YO SOY **la Llama Violeta**
    resplandeciendo a toda hora
YO SOY **la Llama Violeta**
    brillando como un sol
YO SOY **el poder sagrado de Dios**
    liberando a cada uno

(Cierre)

¡Y con plena Fe acepto conscientemente que esto se manifieste, se manifieste, se manifieste! (recítese tres veces)**, ¡aquí y ahora mismo con pleno Poder, eternamente sostenido, omnipotentemente activo, siempre expandiéndose y abarcando el mundo hasta que todos hayan ascendido completamente en la Luz y sean libres!**
¡Amado YO SOY! **¡Amado** YO SOY! **¡Amado** YO SOY!

5. Anota cualquier cambio positivo que experimentes en tus cuatro cuerpos inferiores.

Capítulo 4

La expansión de flujo de la luz interior

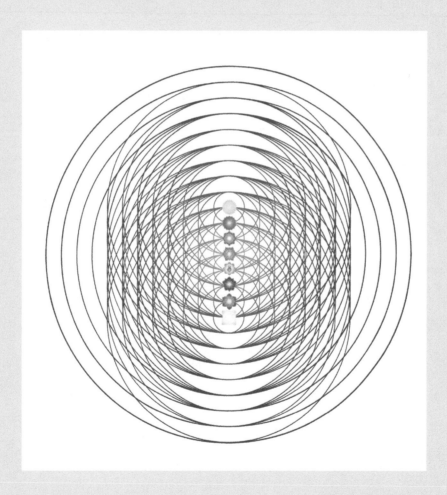

Tus chakras y tu aura

Los capítulos anteriores te han dado una visión general de los diversos elementos que componen nuestra estructura espiritual, incluido el origen y el proyecto original de nuestra naturaleza divina, así como los componentes de nuestro Yo Superior. Se ha abordado asimismo en dichos capítulos los distintos papeles que desempeñan los cuerpos de que nos valemos en nuestro viaje a través del tiempo y el espacio. Ahora nos acercaremos en profundidad a la anatomía espiritual de los cuatro cuerpos inferiores, descubriremos cómo funcionan nuestros centros espirituales (o chakras) y aprenderemos cómo influye el flujo de luz dentro de nosotros en nuestra aura y en nuestras actividades diarias.

Comprenderlo puede ayudarnos a equilibrar mejor y fortalecer nuestros cuerpos etérico, mental, emocional y físico, y expandir el flujo de la fuerza vital interior a fin de expresar con más plenitud nuestra divinidad inherente. A su vez, ello nos ayudará a acercarnos a la meta suprema de reunirnos con nuestra Presencia YO SOY en el ritual de la ascensión.

Cómo fluyen la luz y la vida por nuestro interior

Vamos a hacer un breve y rápido repaso de la gráfica de tu Yo Divino para recordar cómo fluye la energía espiritual hacia nosotros. La figura inferior de esta gráfica representa el alma que evoluciona en la materia. Encima del alma, en una dimensión espiritual, se halla la fuente de nuestra divinidad: la Presencia YO SOY. Una corriente de radiante energía de luz, también llamada fuerza vital, fluye hacia nosotros desde nuestra Presencia YO SOY, a través del cordón cristalino, en cada instante de nuestra vida.

Gráfica de tu Yo Divino

Al fluir por el cordón cristalino, dicha fuerza vital pasa por el Santo Ser Crístico. Este, con su enorme sabiduría, reduce la intensidad de esa poderosa energía de luz espiritual y la regula con el fin de adaptarla a nuestras necesidades de cada día y de cada hora.

La fuerza vital entra en el cuerpo por la parte superior de la cabeza. Desde allí fluye en dirección a una compleja red de estaciones y canales de distribución de energía con el fin de mantener la vida aquí, en el mundo físico. Los elementos más importantes de este sistema de distribución son los centros espirituales llamados 'chakras'.

Los chakras: vórtices giratorios de luz

Chakra es una palabra sánscrita que significa «rueda» o «disco». Los chakras son centros dinámicos y vibrantes de energía de luz dentro de nosotros que suministran a los cuatro cuerpos inferiores la energía sutil que estos necesitan para realizar sus tareas diarias.

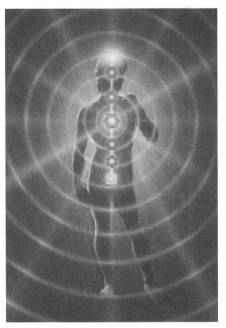

Siete centros de energía

Debido a que los chakras se encuentran en el cuerpo etérico (o de la memoria), únicamente las personas dotadas de visión espiritual pueden verlos. Los yoguis y sabios de la India que estudiaban mediante la clarividencia los centros espirituales del cuerpo los llamaron chakras, o ruedas, porque los patrones de luz que veían irradiando desde un núcleo central les recordaban a los radios de una rueda al dar vueltas. Otros, al observar esas mismas emanaciones de luz, pensaron que los chakras guardaban un cierto parecido con las flores de loto cuando están totalmente abiertas. De modo que dichos videntes se referían a los chakras como *padmas*, es decir, «lotos», y a las emanaciones de luz desde el núcleo de los chakras, como «pétalos».

Las fuentes hindúes suelen considerar siete u ocho chakras principales. En la antigua tradición de la India se consideraba a los chakras depósitos y puntos de distribución del prana, que es la fuerza vital que fluye a través del cuerpo por una red de miles de canales filiformes de energía denominados *nadis*. La acupuntura y otras técnicas de curación antiguas y de la nueva era se basan en el flujo de energía a través de esos canales o meridianos.

Los maestros ascendidos explican que el cuerpo tiene un total de 144 chakras de distintos tamaños y funciones, que se hallan situados en el cuerpo etérico y regulan el flujo de energía dirigiéndolo a los cuerpos mental, emocional y físico. A siete de ellos, situados a lo largo de la columna vertebral y en la cabeza, se les considera los chakras principales. Cada uno de estos vibra a una velocidad o frecuencia diferente, lo cual se manifiesta mediante siete colores distintos, que se relacionan con lo que se conoce como siete rayos de luz espiritual.

Una bella imagen de ti: siete rayos y siete chakras

Como se ha explicado anteriormente, la energía de luz pura emana de la divinidad. Cuando esta luz blanca pasa por el prisma de la conciencia del Cristo Universal, se divide en siete rayos espirituales de forma muy parecida a la luz solar cuando atraviesa un prisma formando siete colores del espectro de luz visible.

Cada uno de estos siete rayos espirituales encarna cualidades únicas de la conciencia crística, simbolizadas por un color. Pese a que cada rayo tiene muchos matices de color y significado, sus características principales pueden resumirse en una o dos palabras. En la tabla que figura a continuación se muestran los colores y cualidades básicas de los siete rayos.

RAYO	COLOR	CUALIDAD
Primer rayo	Azul	Poder
Segundo rayo	Amarillo	Sabiduría
Tercer rayo	Rosa	Amor
Cuarto rayo	Blanco	Pureza
Quinto rayo	Verde	Integridad
Sexto rayo	Morado y oro con motas rubí	Servicio
Séptimo rayo	Violeta	Libertad

Ahora bien, ¿qué relación tienen estos siete rayos con nosotros como seres espirituales y materiales que somos? Hemos visto en la figura superior de la gráfica de tu Yo Divino (véase página 75) el Cuerpo Causal que se compone de siete franjas de energía de colores. Estas franjas de luz que rodean a la Presencia YO SOY contienen la luz de los siete rayos. Muestran cuánta conciencia divina hemos adquirido en cada rayo, y determinan cuánta energía espiritual tenemos disponible en cada uno para nuestro uso diario.

Así como las franjas del Cuerpo Causal almacenan y emiten esos rayos de luz espiritual, los siete chakras principales contienen y distribuyen la energía de los siete rayos a los cuatro cuerpos inferiores. Lo ideal es que, a medida que trabajamos con los diferentes chakras y con la luz que fluye a través de ellos, vayamos interiorizando las cualidades y virtudes de esas bellas emanaciones del Espíritu universal. El tamaño y brillo de nuestros chakras aumenta al absorber esos rayos y convertir sus cualidades en parte integral de nuestra vida.

Forma y frecuencia singulares de los chakras

Además de distinguirse por el color, cada chakra tiene una forma única que depende del número de emanaciones de luz o «pétalos». La cantidad de pétalos varía en función de la velocidad vibratoria del chakra en cuestión. La velocidad vibratoria más baja corresponde al chakra de la raíz que se encuentra en la base de la columna, el cual tiene cuatro pétalos. La frecuencia y el número de pétalos aumentan progresivamente a medida que se va subiendo desde el chakra de la base al de la coronilla. De modo que este, situado en la parte superior de la cabeza, posee la frecuencia más elevada y el mayor número de pétalos. Se le conoce tradicionalmente como el loto de mil pétalos, que es una aproximación a la asombrosa cifra de 972 de que dispone. Con frecuencia, en el arte religioso occidental se representa este chakra mediante una aureola.

El cuadro que hallarás a continuación te proporcionará una visión esquemática de los siete chakras principales desde la parte superior de la cabeza hasta la base de la columna, junto con sus características: la forma, el nombre sánscrito original, la ubicación aproximada en el cuerpo, el color, el número de pétalos, el rayo espiritual con el que está relacionado y las cualidades predominantes.

CHAKRA	coronilla	tercer ojo	garganta	Corazón	plexo solar	sede del alma	base de la columna
NOMBRE SÁNSCRITO	Sahasrara	Ajna	Vishuda	Anahata	Manipura	Svadishtana	Muladara
UBICACIÓN	Parte superior de la cabeza	En la frente, entre las cejas	Garganta	Corazón	Ombligo y estómago	Entre el ombligo y la base de la columna	Sobre la base de la columna
COLOR	Amarillo	Verde	Azul	Rosa	Morado y oro con rubí	Violeta	Blanco
PÉTALOS	972	96	16	12	10	6	4
RAYO	Segundo rayo	Quinto rayo	Primer rayo	Tercer rayo	Sexto rayo	Séptimo rayo	Cuarto rayo
CUALIDADES	Sabiduría Discernimiento Iluminación	Integridad Visión Verdad	Poder Voluntad divina Protección	Amor Compasión Caridad	Servicio Paz Asistencia	Libertad Transmutación Misericordia	Pureza Orden Disciplina

Los colores que aparecen en el cuadro corresponden a las emanaciones más puras y etéricas de los chakras, según se ve en los niveles espirituales más profundos. Otras escuelas esotéricas siguen una relación distinta de colores para los siete chakras. La diferencia estriba en que los clarividentes que han visto los chakras y clasificado los colores no han llegado a vislumbrar esa manifestación pura, con lo cual las clasificaciones de colores son distintas.

Los chakras se encuentran en distintas fases de desarrollo espiritual en los individuos, de manera que en la mayoría de ellos se hallan sujetos a impurezas de varios tipos, cuestión que abordaremos más adelante. De ello resulta que dichos chakras en la mayoría de gente variarán en color, tamaño y brillo.

> *Cuando están poco desarrollados [los chakras], se les distingue como pequeños círculos de unos cinco centímetros de diámetro, con un brillo apagado en el hombre común. Pero cuando se los despierta y vivifica, aparecen como ardientes y brillantes remolinos [emitiendo luz], con un tamaño mucho mayor, y semejantes a diminutos soles.*[47]
>
> C.W. LEADBEATER

47. C.W. Leadbeater: *The chakras*, ed. rev. Wheaton, Ill.: The Theosophical Publishing House, 1994; pág 4.

Reflexiona sobre los siete chakras

La luz y la energía fluyen más libremente por el ser cuando todos los chakras están expandidos por igual. Sin embargo, los chakras no suelen estar igual de desarrollados porque tenemos preferencias innatas que nos llevan a usar solo unos pocos, dejando de lado a otros.

Para que tengas una pista sobre cuáles prefieres, hazte las siguientes preguntas mientras observas de nuevo el cuadro de los siete chakras. Anota las respuestas en tu diario.

1. ¿Qué colores de los chakras me atraen más? ¿Cuáles me atraen menos?

2. ¿Qué cualidades de los chakras me gustan más? ¿Cuáles menos?

3. ¿Qué cualidades sé que poseo? ¿Qué cualidades sé que debo desarrollar más plenamente?

4. Escribe en tu diario cualquier otra reflexión que te venga a la mente.

Este ejercicio no solo tiene como objeto aportarte indicios sobre por qué algunas facetas de tu vida son más fáciles que otras, sino también motivarte para que desarrolles las partes de tu conciencia que te resultan más desafiantes.

Otros chakras

A los siete chakras principales hay que añadir otros que desempeñan funciones destacadas en ese flujo de la energía de la vida hacia nosotros. Uno de ellos es la cámara secreta del corazón, que es donde se ubica la llama trina. Es el lugar adonde acude nuestra conciencia cuando buscamos comunión profunda con lo sagrado, con el Espíritu Santo, con la conciencia divina dentro de toda vida. Se le denomina también la cámara secundaria del corazón. Tiene ocho pétalos y es de color melocotón o asalmonado, es decir, una bonita mezcla de rosa y dorado. La cámara secreta del corazón es el punto focal del octavo rayo, que se conoce como rayo de la integración. Mientras que los siete rayos nos enseñan las siete cualidades principales de la conciencia crística Universal, el octavo nos conduce al nivel de integración con esa conciencia crística y, al final, con la Presencia YO SOY. El chakra del octavo rayo es, por tanto, un importante foco para quienes se encuentren en un sendero de desarrollo espiritual.

Como Elizabeth Clare Prophet explicó, Dios nos ha dado un altar, el chakra del octavo rayo en la cámara secreta del corazón. El alma puede ir allí y comulgar con Cristo y con Buda. La cámara secreta del corazón es una dimensión tan vasta como el cosmos entero y, sin embargo, ni siquiera es mensurable en el sentido físico de la palabra. Mas, espiritualmente hablando, es nuestro castillo interior, como lo llamó Santa Teresa de Jesús. Es el lugar donde nos encontramos con nuestro maestro, nuestro gurú, nuestro Dios y nuestro propio Yo real.

Cámara secreta del corazón

Existen asimismo cinco chakras denominados los chakras de los rayos secretos. Los cinco rayos secretos son rayos ocultos cuyos colores los maestros no nos han dado a conocer. En la figura superior de la gráfica de tu Yo Divino los rayos secretos se esconden en el núcleo de fuego blanco que rodea a la Presencia YO SOY en el centro del cuerpo causal. Los chakras a través de los cuales expresamos los rayos secretos están situados en las manos, en los pies y en el costado izquierdo. Fíjate en un dato interesante. Cuando Jesús fue crucificado, en el lugar físico correspondiente a cada uno de los rayos secretos le clavaron los clavos o le atravesaron con una espada.

Estos rayos secretos, aunque se les llama rayos menores, desempeñan un papel importante en nuestro desarrollo espiritual. El Maestro Ascendido Poderoso Cosmos lo expresa con estas sucintas palabras: «Los rayos secretos impulsan a hacer las cosas poniendo atención en los detalles, el cincelado final de la mente y de la conciencia según la imagen perfecta del Cristo. Son como el fuego purificador. Purifican, purifican [...]. Lo atraen todo hacia la sonda de la divinidad».[48]

El aura humana: una exhibición de luces cambiantes

Los chakras guardan una cierta semejanza con las flores cuando el viento acaricia sus pétalos con suavidad. No son puntos estáticos de luz. Son centros dinámicos de energía que constantemente absorben y emiten la luz espiritual que fluye a través de nuestros cuatro cuerpos inferiores. El Maestro Ascendido Djwal Kul lo comparó con el movimiento respiratorio: «Así como inspiras y espiras por el chakra de la garganta, de la misma forma todos los chakras toman y liberan las energías de Dios según la frecuencia asignada a cada uno en particular».[49]

Al fluir la luz de los chakras, forma un campo energético de radiación que penetra y se extiende más allá de los límites del cuerpo físico. A este campo energético se le llama comúnmente el aura, aunque los científicos que lo investigan usan otros nombres para distintas manifestaciones del aura, como campo de vida (*L-field*) o campo de pensamiento (*T-field*).

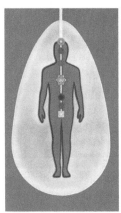

El aura es en realidad un campo energético cambiante y multicolor que refleja las emanaciones momentáneas que producen los chakras al pasar por ellos la energía. Por ejemplo, cuando uno está enfrascado en pensamientos intensos, en el estudio o en dar una conferencia, un observador dotado de visión interna abierta vería fuertes emanaciones amarillas y verdes saliendo del chakra de la coronilla y del del tercer ojo y dominando la zona del aura que rodea la cabeza. En otros momentos, ese mismo observador podría ver destellos de color rosa en torno al torso de un individuo que envía a otro el amor de su corazón. La fotografía Kirlian se usa para captar en una película esas emanaciones de color. Existen asimismo programas de computadora que permiten ver el aura en un monitor y obtener impresión de la imagen en fotografía.

El aura humana

En el libro *El aura humana*, el Maestro Ascendido Kutumi señala con relación al aura: «Cada individuo en el que está la llama de la vida se revela a sí mismo como si fuera a gritarlo a los cuatro vientos —todo lo que realmente es, todo lo que ha hecho, e incluso el presagio de lo que será— justo en el campo energético de su ser y en las emanaciones magnéticas que rodean su cuerpo físico».[50] Por tanto, la energía que yace en el aura lleva la

48. *Pearls of Wisdom*, vol. 16, nº 45.
49. Djwal Kul: *Activar los chakras*. Barcelona: Porcia Ediciones, 2000; pág. 95.
50. Kutumi: *El aura humana*. Barcelona: Porcia Ediciones, 2003.

vibración de nuestro proyecto divino original, así como de todos los usos que hemos hecho de la energía de luz que fluye a nosotros.

Quizá no tengamos la capacidad de ver las auras, pero nuestra alma sí puede hacer una «lectura interna» de este campo energético. Por ejemplo, resulta fácil percibir la diferencia entre el aura de una persona que está enfadada y la de una que está tranquila. La energía es palpablemente distinta a los ojos de nuestra alma y de sus facultades. Si crees que no eres capaz de percibir el aura de los demás, trata de recordar una situación en la que estuvieras en algún sitio sin apenas conocer a nadie, como sería una fiesta, el primer día de la escuela o en un empleo nuevo. Luego acuérdate de cómo al cabo de un rato o solo con mirar a tu alrededor ya casi eras capaz de afirmar con quiénes te inclinarías a hablar y a cuáles preferirías evitar. A menudo tomamos decisiones de este tipo basándonos en una lectura interna, hecha con el alma, del aura de la gente.

Los animales pueden asimismo percibir las auras y si estas emiten miedo y odio o paz y amor. Por eso San Francisco se hacía fácilmente amigo de animales a menudo peligrosos: el amor de su aura los apaciguaba.

Algo parecido les ocurre a las personas al sentirse atraídas hacia otras a causa de su aura. Cuando la radiación de todos los chakras es pura y armoniosa, el aura de una persona se manifiesta como un hermoso y luminoso campo energético en forma de huevo. Se extiende por encima de la cabeza y por debajo de los pies abarcando los cuatro cuerpos inferiores, tal como aparece en la ilustración de la página anterior. Es un campo de energía de hermosa luz. Las demás personas son bendecidas por ella y desean estar cerca de la presencia de alguien así.

> *Día tras día, a medida que el aspirante va adquiriendo el control sobre el flujo de vida que pasa a través de su ser, el flujo hacia dentro y hacia fuera de las fuerzas vitales de los chakras aumenta hasta [el momento en el] que los siete chakras, junto con la cámara secundaria del corazón, emiten simultáneamente los anillos de color de los siete rayos y del octavo desde la base de la columna hasta la coronilla.[51]*
>
> Maestro Ascendido Djwal Kul

La distribución de la fuerza vital

Cuando la energía de luz pura fluye hacia nosotros desde nuestra Presencia YO SOY a través del cordón cristalino, entra por la coronilla y luego se dirige al chakra del corazón. Este es el mayor de los siete y actúa como principal centro de distribución para que la fuerza vital fluya por nuestro ser. Desde allí la energía se distribuye a los demás chakras, los cuales liberan así la fuerza vital a los cuatro cuerpos inferiores. Al llegar al cuerpo físico, recorre los canales nerviosos para llegar a los órganos y a las células e infundirles la energía espiritual que necesitan a fin de mantener la vida. Entender este intrincado proceso de flujo energético nos facilitará la comprensión de cómo,

---

51. *Activar los chakras*, pág. 117.

a nivel consciente o inconsciente, participamos contínuamente en el proceso de crearnos y re-crearnos. En el quinto capítulo trataremos este tema con más profundidad.

Parte de la dinámica del flujo enérgetico de los chakras consiste en que funcionan por parejas, según una correspondencia de los chakras que están encima del corazón con los que están debajo. Por ejemplo, puede que sientas algo parecido a mariposas revoloteando en tu estómago antes de dar una charla; pues bien, ello muestra la conexión entre el chakra de la garganta y el del plexo solar. Los chakras tienen también conexiones concretas con cada uno de los cuatro cuerpos inferiores. Las dinámicas creadas aparecen esquematizadas en el diagrama siguiente:

Parejas de chakras

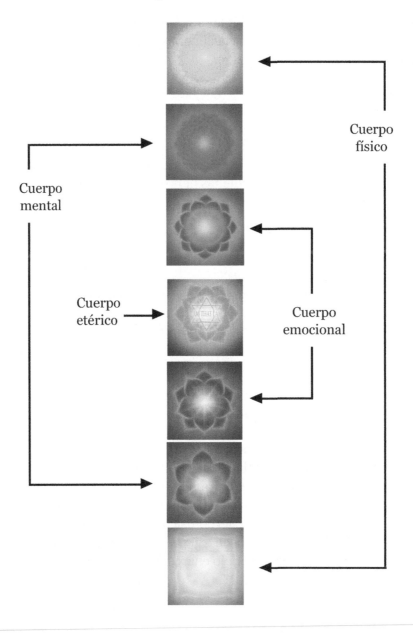

Practica la Palabra hablada: Limpieza de los chakras

Los chakras son una puerta abierta a una conciencia superior, siempre y cuando estén limpios y vibren a su frecuencia espiritual original. Las siguientes afirmaciones pueden ayudarte a limpiar y acelerar los chakras saturándolos de llama violeta. La secuencia de afirmaciones empieza con el chakra del corazón y luego se va entretejiendo a través de las parejas de chakras que se hallan encima y debajo de aquel hasta que los siete quedan recubiertos de llama violeta.

1. Céntrate en el corazón y relaja la respiración.

2. Observa la imagen de los chakras y dedica un rato a visualizar cada uno en el lugar que le corresponde en tu cuerpo. Trata de ver el color, la forma y el trazo aproximado de sus pétalos.

3. Recita los siguientes mantras tres veces cada uno, visualizando cada chakra lleno de brillante llama violeta que transmute toda impureza.

¡YO SOY un ser de fuego violeta,
YO SOY la pureza que Dios desea!

¡Mi corazón es un chakra de fuego violeta,
mi corazón es la pureza que Dios desea!

¡YO SOY un ser de fuego violeta,
YO SOY la pureza que Dios desea!

¡Mi chakra de la garganta es una rueda de fuego violeta,
mi chakra de la garganta es la pureza que Dios desea!

¡YO SOY un ser de fuego violeta,
YO SOY la pureza que Dios desea!

¡Mi plexo solar es un sol de fuego violeta,
mi plexo solar es la pureza que Dios desea!

¡YO SOY un ser de fuego violeta,
YO SOY la pureza que Dios desea!

¡Mi tercer ojo es un centro de fuego violeta,
mi tercer ojo es la pureza que Dios desea!

¡YO SOY un ser de fuego violeta,
YO SOY la pureza que Dios desea!

¡Mi chakra del alma es una esfera de fuego violeta,
mi alma es la pureza que Dios desea!

¡YO SOY un ser de fuego violeta,
YO SOY la pureza que Dios desea!

Siete centros de energía

**¡Mi chakra de la coronilla es un loto de fuego violeta,
mi chakra de la coronilla es la pureza que Dios desea!**

¡YO SOY **un ser de fuego violeta,**
YO SOY **la pureza que Dios desea!**

**¡Mi chakra de la base es una fuente de fuego violeta,
mi chakra de la base es la pureza que Dios desea!**

¡YO SOY **un ser de fuego violeta,**
YO SOY **la pureza que Dios desea!**

4. Entona el OM para sellar tu meditación.

La preparación de los chakras para elevar la luz de la Madre

Hemos hablado del principal flujo de energía, la luz y energía espiritual que desciende del Yo Superior por el cordón cristalino al Santo Ser Crísitico, baja a los chakras y se expande hacia los cuatro cuerpos inferiores. Otro patrón de flujo de energía con que contamos es la elevación de esa energía de luz desde el chakra de la base de la columna hasta el chakra de la coronilla.

El chakra de la base de la columna es un centro energético ciertamente interesante. Los maestros ascendidos describen esa luz blanca que lo caracteriza como la luz de la Madre o el fuego sagrado de la Madre Divina. Ese fuego sagrado genera la vida y posee un poder creativo inmenso: el poder de procrear, así como de regenerarnos.

El hinduismo se refiere a esta luz de la Madre con el nombre *kundalini*, palabra que significa literalmente «serpiente enroscada». Se trata de una energía poderosa, enroscada en el chakra de la base que está en estado latente o «dormida» en la mayoría de las personas. Cuando la kundalini es «despertada», comienza a ascender, penetrando y activando cada uno de los chakras a lo largo de la columna, hasta que llega al chakra de la coronilla.

La luz blanca de la Madre Divina en el chakra de la base se polariza con la luz del Padre Divino en el chakra de la coronilla en una mutua atracción connatural. Así que, cuando la luz de la Presencia YO SOY que desciende por el chakra de la coronilla y la luz ascendente del chakra de la base se encuentran en el chakra del corazón, estamos hablando del encuentro entre las energías del Padre y de la Madre. Ahí, en esa cuna del corazón, el Padre y la Madre dan a luz a la conciencia crística dentro de nosotros. De hecho, Elizabeth Clare Prophet ha dicho que hace falta esta unión de la energía de Dios Padre-Madre en nuestro corazón para convertirnos en la plena manifestación de lo que estamos destinados a ser.

La llama trina del corazón se conoce también como la llama crística. Se trata del fuego espiritual que concentra la conciencia crística. La aceleración del chakra del corazón que ocurre al ser tocado por la kundalini cuando esta se eleva, permite que la conciencia crística florezca en nuestro interior. Una vez que ello ha tenido lugar, la luz sigue elevándose por los chakras. La última fase de la elevación de la kundalini consiste en llevar esa poderosa energía hasta el chakra de la coronilla. Cuando acelera la coronilla, se produce un florecimiento de la conciencia búdica que se manifiesta en forma de iluminación.

Mientras la mente esté apegada a las cosas de este mundo, permanecerá en los tres centros inferiores [...]. Allí, no tendrá ambiciones elevadas ni visiones. Quedará sumida en las pasiones de la lujuria y la avaricia.

El cuarto centro es el corazón. Cuando la mente aprende a morar en él, el hombre experimenta su primer despertar espiritual. Adquiere la visión de la luz en torno a él. Al verla, se maravilla y exclama: «¡Oh, que alegría!». Después, su mente ya no regresa a los centros inferiores.

El quinto centro está en la garganta. Cuando la mente del hombre alcanza ese nivel, queda liberada de la ignorancia y del error. Ya no le interesa oír hablar de nada que no sea Dios.

El sexto centro está en la frente [...]. Cuando la mente lo alcanza, obtiene una visión directa de Dios, de día y de noche. Mas, aun así, le queda todavía un cierto rastro de egoísmo [...]. Es como la luz de una linterna. Tienes la sensación de que puedes tocar esa luz pero no puedes, porque el cristal te lo impide.

El séptimo centro se halla en la parte superior de la cabeza. Cuando la mente llega a él, logra adquirir el samadi [iluminación]. Es entonces cuando el individuo se convierte en conocedor de Brahmán [Dios]. Se une a Él.[52]

RAMAKRISHNA

La elevación de la kundalini se ha asociado tradicionalmente a la obtención de poderes espirituales, denominados en el hinduismo *sidis*. Algunos ejemplos de sidis son la clarividencia, la clariaudiencia, el poder de materializar objetos y la capacidad de volverse invisible, de volar o de caminar sobre el fuego sin quemarse. El deseo de adquirir esos poderes hace que haya estudiantes de las ciencias ocultas que intentan forzar la kundalini para elevarla y despertar con ello sus chakras superiores.

Muchos instructores y gurúes iluminados, entre ellos los maestros ascendidos y sus mensajeros, desaconsejan con firmeza que se intente despertar la serpiente prematuramente. Nos hablan del tremendo poder creativo que yace encerrado en la kundalini y que puede resultar difícil de controlar una vez que se ha elevado por completo. Además, explican que, cuando ese fuego se eleva por chakras que todavía no están purificados, entra en contacto con la energía impura y la aumenta, a veces hasta tal punto que el estudiante se ve incapaz de controlar las consecuencias. Una elevación incontrolada de la kundalini puede causar dolor físico, así como problemas psicológicos. En casos extremos puede incluso llevar a la locura.

---

52. Christopher Isherwood: *Ramakrishna and His Disciples*. Hollywood, California: Vedanta Press, 1965; págs. 63-64.

> *El despliegue prematuro de los aspectos más elevados de la kundalini [...] lo intensifica todo en la naturaleza del hombre, de modo que alcanza los atributos más bajos y malignos con mayor facilidad que los buenos. En el cuerpo mental, por ejemplo, la ambición se despierta con suma rapidez, y en seguida crece hasta niveles totalmente desmesurados. Con toda probabilidad traería consigo una enorme intensificación del poder del intelecto, pero, al mismo tiempo podría producir un orgullo anormal y satánico, casi inconcebible en el hombre común. No es prudente que un hombre piense que está preparado para enfrentarse con cualquier fuerza que pueda surgir en su cuerpo. No estamos hablando de una energía corriente, sino de una que es irresistible.[53]*
>
> C.W. Leadbeater

Los maestros ascendidos enseñan que el despertar y la elevación de la kundalini ha de ser un proceso natural, es decir, algo que ocurra de forma suave y gradual a medida que la persona evoluciona espiritualmente. Cuando se le permite que transcurra con naturalidad, bellamente florece un ser trascendido. Es posible entonces que, de manera espontánea, se desarrollen poderes elevados si el estudiante ha purificado su conciencia hasta el punto de que se haya aminorado el riesgo de hacer un uso erróneo de esos poderes recién adquiridos.

Consejos para elevar la luz de la Madre

Existen diversos métodos para facilitar la elevación natural de la luz de la Madre desde el chakra de la base de la columna hasta el chakra de la coronilla.

1. **Invoca la llama violeta**. El uso constante de la llama violeta te ayudará a limpiar el aura, los chakras y los cuatro cuerpos inferiores de forma que se conviertan en conductos de energía pura para la luz ascendente. La acción de la llama violeta aplica una ligera presión que penetra en los cuatro cuerpos inferiores y disuelve los residuos impuros que hay en los chakras. A medida que los usos erróneos de la luz de nuestros chakras se van transmutando por medio de la llama violeta, la fuerza vital comienza a elevarse de la misma forma que la savia asciende por un árbol.

2. **Protege la luz de tu templo corporal**. Al evolucionar espiritualmente, los individuos incrementan la cantidad de luz espiritual almacenada en sus chakras y en su aura. Es importante que protejas esa luz de canalizaciones hacia actividades equivocadas que bajarían su vibración, como por ejemplo arrebatos incontrolados de ira. En el apartado 'El poder liberador de la Palabra' correspondiente a este capítulo, aprenderás un decreto corto para invocar un cilindro de luz blanca que desciende de tu Presencia YO SOY y se coloca a tu alrededor. Este tubo de luz sirve para sellar el aura y los chakras. En los capítulos 6 y 7 aprenderás cómo invocar la presencia del Arcángel Miguel, que es el protector por excelencia de tu campo energético y de tu luz.

---

53. Leadbeater: *The Chakras*, pág. 83.

3. **Adora la llama de la Madre**. Como hemos señalado anteriormente, la luz de la Madre está anclada en el chakra de la base de la columna y en la base de la llama trina, la cual se ubica en la cámara secreta del corazón. Se encuentra también en la naturaleza y en la conciencia de la Madre Divina que impregna el universo. Una manera sencilla y hermosa de adorar la llama de la Madre que yace en toda forma de vida sería recitar el Avemaría. La palabra María significa «Ma-ray», es decir, el rayo de la Madre. En 1972, la Maestra Ascendida Madre María dictó a Elizabeth Clare Prophet una nueva versión del Avemaría, una plegaria tradicional católica. La nueva versión se dirige al rayo de la Madre Universal, personificado en la Madre María, e invoca su asistencia a medida que evolucionamos hacia la unión con nuestra conciencia crística como hijos e hijas de Dios maduros.

Al recitar esta oración con profunda devoción elevaremos la luz de la Madre desde el chakra de la base de la columna hasta la coronilla. Puedes reforzar esa elevación de energía con suaves movimientos de las manos, colocándolas con las palmas hacia arriba, ligeramente separadas, a la altura del chakra de la base de la columna y elevándolas despacio hacia la zona de la cabeza. Repite este movimiento mientras recites tres veces la oración con profunda devoción.

Ave María, llena eres de gracia,
el Señor es contigo.
Bendita tú eres entre todas las mujeres
y bendito es el fruto de tu vientre, Jesús.

Santa María, Madre de Dios,
ruega por nosotros, hijos e hijas de Dios,
ahora y en la hora de nuestra victoria
sobre el pecado, la enfermedad y la muerte.

El tubo de luz

La eficacia de los decretos puede reforzarse al utilizar ciertas técnicas concretas contrastadas. Articular con claridad, emplear el ritmo y la visualización adecuados y repetir las palabras puede aumentar el éxito de la ciencia de la Palabra hablada. Si quieres practicar estos consejos enseguida, haz como se te muestra en este apartado, invocando el tubo de luz, esa cascada de energía espiritual que se precipita desde tu Yo Superior para protegerte veinticuatro horas del día.

La relevancia de la pronunciación

Los maestros ascendidos dictaron los decretos, de ahí que sus palabras sean copas de luz creadas mediante fórmulas matemáticas exactas que confieren luz y energía espiritual a una situación. Por ello es importante que las articules con claridad y precisión. Lo aprenderemos fácilmente si decretamos lentamente. Una pronunciación a ritmo relajado te brindará la oportunidad de concentrarte en el significado de tales palabras. Cuando se contempla la belleza impregnada en las ideas que encarna cada frase, el propósito del decreto puede manifestarse con mayor plenitud y rapidez, por lo que es un empeño válido para todo estudiante de la Palabra hablada.

Al principio, se requiere un esfuerzo considerable para pronunciar con claridad las palabras de los decretos porque todos los músculos de la boca han de estar activos a fin de poder mover los labios, la lengua y la boca. Lo mejor es olvidarse de lo que pareces cuando decretas. Una boca que se mueve muy rápido puede resultar una imagen poco común, pero lo cierto es que los mejores decretadores la mueven mucho. Si tienes la sensación de que tus mandíbulas están demasiado juntas para permitirte una pronunciación correcta, quizá algunos ejercicios de estiramiento de las mandíbulas puedan aflojarlas y proporcionarte la flexibilidad necesaria para articular correctamente.

El ritmo envía ondas de luz

El ritmo adecuado es también un aspecto importante al decretar. Cada decreto tiene un patrón de sonido y un ritmo definidos. El ritmo está relacionado con la acción específica de la luz que se emite. Por tanto, es importante recitar los decretos lentamente hasta que su cadencia sale sin esfuerzo. A partir de ese momento, se puede empezar a acelerar el ritmo.

Un ritmo correcto da lugar a la proyección de una enorme cantidad de penetrantes vibraciones espirituales por todo el planeta. Estas magnetizan las cualidades de Dios que se han invocado por medio del decreto. Forman grandes ondas invisibles que llevan una cierta acumulación de luz y energía. Estas ondas se parecen a anillos que se extienden por la faz de la Tierra para intensificar la acción de la luz invocada, allí donde alcanzan.

Se emite un gran poder cuando muchas personas unen sus voces y energías de forma dinámica. Existe un ejemplo de ello en la Biblia, cuando narra que los muros de la ciudad de Jericó fueron destruidos por un grito enorme. Antes de emitirlo, siete sacerdotes tocaron siete trompetas y los israelitas dieron vueltas alrededor de la ciudad durante el transcurso de seis días. El séptimo día dieron la vuelta siete veces. La séptima vez, Josué, quien les dirigía, dijo al pueblo: «¡Gritad porque el Señor os ha entregado la ciudad!» La historia prosigue: «El pueblo clamó y se tocaron las trompetas. Al escuchar el pueblo la voz de la trompeta, prorrumpió en gran clamor, y el muro se vino abajo. La gente escaló la ciudad, cada uno frente a sí, y se apoderaron de ella».[54]

Quizás hayas oído relatos sobre ejércitos que al marchar sobre un puente provocaron que se derrumbara. Así como el ritmo de un ejército marchando al paso puede hacer que un puente se derrumbe, el ritmo de un decreto también puede crear una potente fuerza espiritual que eche abajo acumulaciones de energía negativa, patrones de hábitos y karma indeseable. Si quieres aprender el ritmo y la velocidad correctos con que decretar, practica con las grabaciones disponibles por internet.

La repetición multiplica la acción

La repetición continuada de los decretos produce mayores beneficios que hacerlos solo una vez. En Oriente, la gente repite los mantras una y otra vez, incluso miles de veces al día. En Occidente, en cambio, estamos menos acostumbrados a la idea de repetir una petición en voz alta.

Con frecuencia se oye a alguien decir: «¿Por qué debo pedirle una cosa a Dios más de una vez?». No obstante, repetir un decreto o mantra no consiste simplemente en pedir algo una y otra vez a las huestes celestiales: refuerza las ondas de energía del decreto, lo cual produce mayores resultados.

A cada instante la energía de Dios fluye a nosotros desde nuestro Yo Superior. Así que, al recitar mantras y decretos, estamos cargando esta luz pura calificándola de una manera constructiva o concreta. Cuanto más decretamos, más energía positiva adquirimos y más podemos enviar al mundo para bendecir a otros.

---

54. Josué 6: 16, 20, 21.

La siguiente imagen puede servirte. Estás sentado o sentada a la orilla de una corriente de agua y viertes en ella un litro de tinte de color morado. El agua que hay frente a ti se vuelve morada, pero sigue corriente abajo y en seguida el agua que vuelve a haber frente a ti es de nuevo transparente. Si quisieras que toda la corriente fuera de color morado, tendrías que seguir echándole litros de tinte morado.

Sucede lo mismo con cualquier forma de la Palabra hablada. Si decretas en voz alta sólo unos minutos, podrás ejercer cierta influencia en una situación determinada. Una circunstancia grave, por el contrario, quizá precise de una atención continua. Decir un mantra o un decreto una sola vez no siempre basta para superar problemas importantes. Pero repetir el decreto refuerza la acción invocada ya que multiplica esa intensificación. A medida que se pide repetidas veces el apoyo divino de Dios, la energía construye y adquiere cada vez un poder mayor para aportar cambios constructivos.

Los maestros ascendidos nos enseñan que los ángeles necesitan la acumulación de nuestra energía y de nuestros llamados por medio de los decretos que les ofrecemos desde aquí para que puedan realizar su trabajo. Repetir los decretos es una forma de invocar su presencia como refuerzo en circunstancias difíciles y obstinadas. Cuando los maestros ascendidos reciben un mensaje en forma de decreto para controlar la venta de drogas ilegales, por ejemplo, ellos envían legiones de huestes angélicas, millones de ángeles, para que hagan el trabajo. Un problema tan extendido como es el comercio internacional de drogas implica miles de millones de dólares y probablemente cientos de miles de personas. Para resolverlo, las huestes angélicas han de interceder a gran escala. Sus ejércitos de luz y las huestes del cielo responden en gran número cuando se repite un decreto muchas veces.

Siempre es mejor repetir un decreto al menos tres veces cuando sea posible, amplificándolo con ello mediante el pleno poder de tu llama trina. Más adelante puedes aumentar el número de repeticiones. La repetición en múltiplos de tres (6, 9, 12, 18, etc.) atrae el poder de tu Presencia YO SOY y de tu Santo Ser Crístico para que sea todavía más efectivo. Repetirlo 36, 48, 108 ó incluso 144 veces puede incrementar el poder creativo del sonido al que se accede y acometer asombrosas hazañas por la causa del bien en el planeta.

Ponerse el tubo de luz

En la gráfica de tu Yo Divino puedes ver un amplio tubo de luz que parece un cilindro blanco que desciende de la Presencia YO SOY y rodea las imágenes del Yo Crístico y del alma. En respuesta a la petición realizada en voz alta, tu Presencia YO SOY es capaz de proyectar sus propios rayos de luz alrededor de tu cuerpo físico para que estés rodeado de ese hermoso tubo de luz, de aproximadamente tres metros (nueve pies) de diámetro. Este tubo desciende desde las octavas de los maestros ascendidos en forma de cascada compuesta de sustancia de un color blanco como la leche. Rodea tu cuerpo físico, siendo invisible al ojo humano. Este tubo aislante puede ciertamente convertirse en un campo energético suministrador de una increíble protección física y espiritual.

De hecho, el tubo de luz es el escudo más importante que posees. Actúa como una barrera espiritual contra pensamientos y sentimientos indeseados de otras personas, y puede también protegerte de daños físicos. Presta atención a la historia de Kobina.

Todos los días Kobina se ponía delante del altar en su casa e invocaba el tubo de luz. Al mirar la gráfica del Yo Divino visualizaba cómo descendía de su Presencia YO SOY y le rodeaba; sentía la protección espiritual que le daba. No obstante, pronto tendría ocasión de experimentar de primera mano la naturaleza extremadamente física de esa protección.

Kobina era un ministro de alto rango del gobierno encabezado por Kwame Nkrumah, presidente de Ghana, en África occidental. En 1966, un grupo de oficiales del ejército inició un sangriento golpe de estado. Los soldados ocuparon el vecindario que rodeaba la residencia del presidente, la cual se asemejaba a una fortaleza, y abrieron fuego contra las casas.

Kobina se ocupó en primer lugar de su familia, que vivía cerca de Nkrumah. Se fue a su casa, los metió a todos como pudo en el auto, y se los llevó lejos de allí. Los soldados los vieron y comenzaron a disparar al vehículo, pero la familia pudo escapar ilesa. De hecho, Kobina recuerda que «ninguna bala impactó al auto ni a ninguno de nosotros». Al menos veinte personas fueron asesinadas y unas cuarenta, heridas en la casa del presidente y en sus alrededores ese día, pero Kobina y su familia escaparon. ¿Fue sólo cuestión de suerte?

Más tarde, Kobina obtendría pruebas adicionales sobre la protección del tubo de luz. Después de poner a su familia a salvo, regresó a su casa en busca de algunas de sus pertenencias. Los soldados que habían arrestado y disparado a los fieles de Nkrumah le arrestaron a él y hablaron de matarle. Por alguna razón no lo hicieron, pero le enviaron a un cuartel adonde otros políticos habían sido conducidos. Posteriormente el nuevo gobierno le absolvió.

Cuando se le permitió volver a su casa, escoltado por soldados, descubrió que había sido saqueada por completo: se habían llevado hasta las bombillas. Solo había una cosa que los saqueadores no se habían llevado: la gráfica del Yo Divino. Se acuerda de que los soldados le habían dicho que aquéllos habían tratado de llevársela. Pero «cada vez que lo intentaban, recibían una descarga eléctrica, como si fuera fuego, así que la dejaron». Este relato ha viajado por todas partes, generando en la gente de Ghana un gran respeto por la Presencia YO SOY.[55]

55. Elizabeth Clare Prophet. *Consigue lo que necesites del universo: Accede al poder de tu Yo Superior*. Barcelona: Porcia Ediciones, 2014.

Practica la Palabra hablada: Decreto del tubo de luz

Este ejercicio te guía en los pasos que hay que dar para ponerse el tubo de luz. Esta poderosa armadura espiritual se invoca por medio de un decreto que se llama «Tubo de Luz», el cual suele recitarse tres veces. Escucha la grabación por internet del decreto «Tubo de Luz».

1. Cuando se invoca el tubo de luz es habitual ponerse de pie en honor y gratitud a la Presencia YO SOY. Esta posición también facilita que el tubo de luz descienda alrededor del cuerpo físico para sellar el aura y los chakras. Puedes colocar la gráfica de tu Yo Divino a la altura de los ojos como ayuda para visualizarlo.

2. Visualiza el tubo de luz saliendo de tu poderosa Presencia YO SOY y colocándose encima de ti extendiéndose a tu alrededor hasta abarcar unos tres metros de diámetro.

Tubo de Luz

Gráfica de tu Yo Divino

**Amada y radiante Presencia YO SOY,
séllame ahora en tu tubo de luz
de llama brillante Maestra Ascendida
ahora invocada en el nombre de Dios.
Que mantenga libre mi templo aquí
de toda discordia enviada a mí.**

**YO SOY quien invoca el Fuego Violeta,
para que arda y transmute todo deseo,
persistiendo en nombre de la libertad,
hasta que yo me una a la Llama Violeta.**

Es conveniente recitar el decreto «Tubo de Luz» cada mañana después de despertarse a fin de crear un escudo de protección alrededor de nosotros para todo el día. Este, al igual que otros decretos, puede durarnos hasta veinticuatro horas. Una vez transcurridas, debes renovar su efecto invocándolo otra vez. Puedes incluso recitarlo durante el día para obtener protección adicional o simplemente para sentirte seguro en los brazos de tu poderosa Presencia YO SOY.

Capítulo 5

Karma: bueno, malo y saldado

El libre albedrío moldea tu vida

C ada uno de nosotros guarda los secretos de nuestro propio destino. El libre albedrío es una de las claves más importantes que poseemos y es uno de los mayores dones que hemos recibido por ser cocreadores con Dios. Nos confiere una libertad enorme para nuestra propia expresión y creatividad en la búsqueda de nuestros ideales divinos. De hecho, el uso de la luz y energía conforme a nuestro libre albedrío es parte integral de nuestro desarrollo espiritual y guarda relación directa con el karma, la ley que establece que recogemos lo que sembramos en aquello que emprendemos en la vida. Si entendemos cómo funciona esta relación y nos fijamos en las maneras en que hacemos y saldamos karma, ello puede acelerar la expresión del Espíritu de nuestra alma y la reunión con nuestro Yo Superior.

Al calificar la luz nos creamos

Los chakras son los principales componentes de nuestra identidad espiritual. Funcionan como centros de distribución de energía de luz que fluye constantemente desde la Presencia YO SOY a nuestra vida. El proceso de distribución de la luz a través de los chakras se halla conexo con otro proceso de idéntica importancia: la calificación de esa luz. Así que, la manera en que calificamos esa luz equivale al modo en que hacemos karma, tanto bueno como malo.

La fuerza vital que fluye por el cordón cristalino nos llega como energía pura, cristalina. Desciende por el cordón como energía no calificada, exenta de características o virtudes impresas en ella. Puesto que cada chakra está regido por uno de los siete rayos espirituales, a medida que la luz de la Presencia YO SOY fluye a través de los chakras, va impregnándose de la vibración específica y color del chakra, y de su correspondiente rayo espiritual.

Chakra del corazón

Vamos a tomar como ejemplo el chakra del corazón. Al enviar energía desde dicho chakra, aquella se califica o colorea con el rosa, que es el color del tercer rayo. El chakra del corazón es el lugar donde generamos y experimentamos los sentimientos de amor y de compasión. Cuando se usa correctamente este chakra, la energía que fluye por él adquiere la vibración del amor. Y cuando la energía de luz pura de la Presencia YO SOY se califica de forma adecuada en tal chakra, se irradia en forma de luz rosa.

Las personas califican continuamente la luz por medio de sus pensamientos, sentimientos, palabras y acciones. El proceso de calificar o colorear la energía del Espíritu sucede de manera automática al fluir la luz por los chakras.

Elegir mediante el libre albedrío

Las elecciones que efectuamos por medio del libre albedrío, ya se expresen consciente o inconscientemente, determinan el modo en que calificamos la energía que fluye a través de nosotros y el tipo de karma que estamos haciendo.

Para entender cómo repercute la elección que se realiza mediante el libre albedrío, vamos a seguir con el ejemplo del chakra del corazón. Pongamos por caso que alguien toma la decisión consciente de enviar amor. Al sentir amor por sus padres, hijos o amigos, la energía fluye por su chakra del corazón. De igual forma, cuando sentimos compasión por una víctima de un huracán o de una inundación que aparece en la televisión, la energía de nuestro corazón sale en busca de aquella persona. Se ha usado correctamente este chakra cuando la energía que fluye a través de él se ha calificado con tales sentimientos positivos.

Sin embargo, también puede utilizarse ese chakra para calificar de forma negativa la energía. En ocasiones puede existir un cierto egoísmo mezclado con los sentimientos de amor. Puede que, en cierta medida, la persona que envía amor desee asimismo algo a cambio de ese amor. Este componente egocéntrico provoca un sutil cambio de vibración que afecta al color de la luz que fluye por el chakra del corazón. En casos menos sutiles, la irritación o antipatía pueden salir del corazón y dirigirse hacia otra persona. Y, en casos extremos, el corazón hierve de cólera. En tales situaciones, la luz de ese chakra está siendo mal calificada, o sea, calificada de manera errónea. Cuando ello ocurre, la vibración cambia y el color no se manifiesta rosa puro sino en forma de sombras de color naranja, rojo o carmesí, que reflejan odio y antipatía.

La energía que fluye a través de cada chakra se califica también con el libre albedrío. Cada uno de esos chakras es una simple abertura al flujo de luz calificada positiva o negativamente que se envía al mundo. El término oriental que resume las ramificaciones de este flujo de energía es *karma*. Para expresarlo con palabras sencillas, diremos que la vibración de la energía que se envía produce como resultado el karma, bueno o malo.

Karma: una ley de la vida

La palabra *karma* aparece cada vez más en los medios de comunicación y ya se está convirtiendo en un término familiar. Pese a ello, su significado no siempre está claro. La gente suele interpretarlo como una especie de suerte o destino echado al azar, y sin embargo, está lejos de ser un hecho fortuito. Es, en realidad, una ley muy precisa de la vida, y cualquiera que busque un sendero espiritual necesita una minuciosa comprensión de cómo opera.

¿Qué significa, pues, karma? *Karma* es una palabra sánscrita que quiere decir «acción» o «acto», concepto que incluye todo pensamiento, sentimiento y toda palabra hablada. Tanto el hinduismo como el budismo explican que la ley del karma es una ley universal de causa y efecto aplicable a todas las personas.

La palabra *karma* podría ser de origen oriental, pero su significado genérico no es nuevo para la mente occidental. El hombre de la calle muestra un cierto entendimiento del karma cuando dice: «El que a hierro mata, a hierro muere». La Biblia afirma ese mismo concepto: «Todo lo que el hombre sembrare, eso también cosechará»[56]. La ley del karma opera en el mundo y en la vida de toda persona de forma automática e imparcial, tanto si se reconoce como si no, tanto si se cree en ella como si no.

El karma, tal como aparece en nuestra vida, es el resultado acumulado de toda la energía que hemos puesto en circulación a sabiendas o ignorándolo. Lo que hemos elegido por medio de nuestro libre albedrío ha calificado la luz y la energía de manera adecuada o inadecuada. Cada elección trae como consecuencia ciertos resultados, los cuales pueden clasificarse como karma bueno (positivo) o malo (negativo).

Vínculos kármicos entre individuos

A menudo hacemos karma con otras personas: aquellos con quienes intercambiamos energía o que son los destinatarios de la que enviamos. De todos modos, aunque la mayor parte del peso kármico obedece a ese hecho, también es posible hacer karma con los animales o con otros ámbitos de la vida, como por ejemplo, con una organización.

Cuando se genera karma entre dos personas se crea un vínculo entre ellas, para bien o para mal, que puede hacer que se encuentren de nuevo una y otra vez. Si el intercambio de energía es positivo, puede resultar en una bonita amistad que quizá dure toda la vida o incluso se prolongue una vez que esta termine. Si el karma, por el contrario, es negativo, puede derivar en una relación compleja cuya resolución requiera tiempo y esfuerzo. Todos hemos tratado con una persona difícil alguna vez en nuestra vida, con la que da la sensación de que seguimos «tropezando». La razón está en el karma negativo, que tiende a poner constantemente en contacto a uno con otro hasta que aprendamos la lección que la relación entre ambos ha de enseñarnos.

El karma impregna cada aspecto de la vida, así como todas las interacciones. Sin embargo, no toda vivencia de cada persona está directamente relacionada con sus propias acciones del pasado, o con las de los demás respecto a ella. Puesto que las personas tienen libre albedrío, cualquiera puede hacer karma nuevo en cualquier momento. Por ejemplo, un individuo conduce borracho y causa lesiones a otro al que no le une ningún vínculo kármico anterior. Pues bien, tan pronto como se crea este karma nuevo, pasa a formar parte integrante de las vidas de las dos personas involucradas.

---

56. Gálatas 6:7

El karma de grupo

Existe, además del karma individual, el «karma de grupo». Este tiene lugar cuando familias, ciudades o naciones enteras han hecho karma unas con otras. De nuevo, este karma puede ser bueno o malo. Encontramos casos de karma negativo de grupo entre grupos étnicos o religiosos cuyas hostilidades se han prolongado durante siglos, como es el caso del norte de Irlanda, de Oriente Medio, de los Balcanes o de las continuas guerras entre distintas tribus africanas. Este tipo de acciones no solo crean fuertes vínculos kármicos entre los individuos, sino que les hacen vulnerables a los efectos del karma de grupo. Los desastres naturales como sequías, hambruna, terremotos e inundaciones constituyen ejemplos de cómo el karma de grupo puede retornar a comunidades o naciones enteras: son las consecuencias de actos cometidos o consentidos como grupo.

Las leyes del círculo y de la multiplicación

Hemos de explorar otros dos conceptos si queremos adquirir una comprensión más plena del funcionamiento del karma. El primero es el de la ley del círculo, también conocida como la ley de los ciclos. Esta ley espiritual establece que la energía que Dios y el hombre ponen en movimiento siempre regresa a su punto de origen. El segundo concepto es la ley de la multiplicación, la cual se basa en el principio espiritual consistente en que «los semejantes se atraen».

El karma cumple esas leyes espirituales: trae de vuelta a tu umbral toda energía que hayas enviado al mundo, y la trae multiplicada o intensificada porque reúne más energía de la misma clase durante su trayecto de regreso a ti. Examinemos ahora ambas leyes a la luz del anterior ejemplo de energía calificada mediante el chakra del corazón.

Imagínate en la siguiente situación. Tu hija de ocho años vuelve de la escuela, donde hoy ha aprendido una canción. Está ansiosa por cantártela. Es una corta y alegre melodía, y tu sonríes mientras te la canta. Durante su actuación percibes cómo el amor que sientes por esta preciosa criatura la envuelve. Cuando termina, la alabas con entusiasmo y le das un fuerte abrazo. En el transcurso de este intercambio, una hermosa energía rosa de amor ha estado fluyendo desde tu corazón hacia la niña. Ella, a su vez, se siente amada y valorada, e irradia amor hacia ti por medio de su bonita sonrisa, la cual te alegra el corazón y te llena de júbilo. Ha tenido lugar un breve intercambio de energía que os ha enriquecido a las dos.

Este episodio tan sencillo puede traducirse en términos kármicos en el contexto de las leyes del círculo y de la multiplicación: tú calificaste de forma positiva la energía de tu corazón y, a cambio, recibiste de tu hija una energía maravillosa que te elevó, multiplicada por el amor de su corazón.

¿Para qué sirve el karma?

El karma es una ley de la vida que cumple determinadas leyes espirituales. Pero, ¿a qué conduce todo esto? ¿Cuál es su propósito? Por encima de todo, el karma es un maestro. Nos enseña el uso correcto e incorrecto de la energía, casi siempre por medio de ensayo y error. Considera ahora la energía que has enviado al mundo como una forma de inversión. Todos los días recibimos una cierta porción de luz de nuestra Presencia YO SOY y decidimos invertirla en ciertos patrones energéticos por medio de nuestros pensamientos, deseos, palabras y obras. Al emitir la energía, esta influye de algún modo en el mundo que nos rodea. Cuando más pronto o más tarde retorna a nosotros multiplicada, recibimos nuestra «inversión» original con intereses, y podemos entonces juzgar a través de los resultados si la inversión que realizamos fue o no inteligente. A medida que aprendemos las lecciones que el karma tiene que enseñarnos, vamos creciendo en sabiduría, entendimiento, compasión y amor. Ciertamente, crecemos en conciencia divina y nos relacionamos cada vez más con la vida desde esa perspectiva.

La duración de los ciclos kármicos

Los ciclos kármicos pueden ser cortos, como en el caso de la hija que hemos visto antes, o pueden ser más largos, ya que la energía que se envía tiene su propia manera de pasar por distintos ciclos en el planeta. Por ejemplo, esa niña a la que has amado quizá se sienta tan bien que cuando su hermano mayor vuelva de la escuela puede que le reciba con gran alegría y cariño. Ello, a su vez, hará que él se sienta tan bien consigo mismo que cuando se encuentre con su amigo esa tarde la alegría se mantendrá y juntos pasarán un rato estupendo, y así sucesivamente. Por supuesto, en cada uno de esos puntos de contacto hay implicada una decisión en cuanto al modo en que la energía se va a perpetuar. Pero, de una u otra manera, continuarán sus ciclos a lo largo del mundo. Y quizá transcurra un cierto tiempo antes de que surta efecto en su totalidad y retorne a nosotros lo que hemos enviado. Este ejemplo ilustra no solo sobre la duración de los ciclos kármicos sino también sobre la ley de la multiplicación a que antes nos hemos referido.

De ello se concluye que los ciclos kármicos pueden durar minutos, días, meses, años o incluso más. Un ciclo de regreso del karma puede ser tan largo que ni siquiera sepamos o tengamos manera de reconocer su origen. El karma bueno, como por ejemplo las relaciones gratificantes, suele interpretarse como «buena suerte». El karma malo, como serían las enfermedades u otras experiencias dolorosas, suele provocar reacciones del tipo «¿por qué a mí?», pese a que el libre albedrío puso un día en movimiento esas energías cuyas consecuencias están ahora de vuelta.

En algunos casos los ciclos kármicos se prolongan hasta tal punto que se extienden a lo largo de varias vidas, de modo que los individuos recogen la cosecha kármica de esas vidas pasadas. Ello nos transporta al fascinante tema de la reencarnación, que trataremos detalladamente en el siguiente capítulo.

Tesoros almacenados en el cielo

Pese a que la energía kármica regresa y se experimenta en su totalidad, ese no es el final del ciclo del karma. Al haberse originado la energía en la Presencia YO SOY y no en los chakras, le queda la última etapa del viaje para completar el ciclo. Nos referimos a cuando se eleva de vuelta al nivel de la Presencia YO SOY, ahora como energía de luz bellamente calificada, que se almacena en el cuerpo causal.

Así culmina el complicado proceso mediante el cual creamos nuestra realidad a través de la energía empleada conforme al libre albedrío. Lo que se envió desde nuestra Presencia YO SOY como

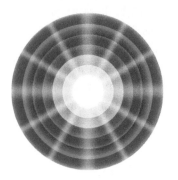

luz espiritual no calificada ha sido ahora calificado con nuestra vibración singular y con las frecuencias de los chakras a través de los cuales la hemos emitido. Pongamos un ejemplo. Hemos visto antes cómo calificábamos la luz, y cómo la luz que emitía el chakra del corazón quedaba grabada con la vibración de amor, que corresponde al color rosa. Esa energía que hemos coloreado de manera singular y recibido de vuelta en forma de amor y alegría, se deposita en la esfera rosa del cuerpo causal.

Cuerpo Causal

De igual modo, el uso correcto de la luz mediante cada uno de los demás chakras aumenta las restantes esferas del cuerpo causal. La esfera blanca, por ejemplo, recibe las energías calificadas con frecuencias de pureza y armonía por medio del chakra de la base de la columna. La energía que se califica con sabiduría e iluminación a través del chakra de la coronilla se deposita en la esfera amarilla. La esfera violeta es el depósito de la energía que has grabado con las vibraciones de libertad y misericordia mediante el chakra de la sede del alma. La energía que has coloreado con las frecuencias de paz y fraternidad por medio del chakra del plexo solar se almacena en la esfera morada del cuerpo causal. La verde contiene las energías puras de la visión, la verdad y la integridad que provienen del tercer ojo. Y la esfera azul recibe la energía enviada desde el chakra de la garganta que posee las cualidades de voluntad divina, fe, poder y determinación.

En última instancia, es el predominio de nuestras preferencias y de nuestros logros lo que confiere identidad individual al cuerpo causal. Por ejemplo, si una persona siempre ha tenido

inclinación por la ciencia o las artes curativas, y ha dedicado un tiempo considerable a perfeccionar sus talentos en esas áreas, su cuerpo causal tendrá una esfera verde muy desarrollada con numerosas sombras y matices de luz verde esmeralda. Quienquiera que haya permanecido con frecuencia en posiciones de liderazgo posee una poderosa esfera azul que predomina sobre las demás. Y aquel que ha pasado mucho tiempo en estado de contemplación y meditación manifestará destacadas cualidades del amarillo en su cuerpo causal. La energía de luz que se genera al recitar decretos y afirmaciones también asciende al cuerpo causal e incrementa la esfera del rayo al que pertenece el decreto. Al mismo tiempo, estos decretos purifican la energía de los chakras y del aura de la persona, y crean una influencia positiva en su vida y en la de aquellos que le rodean.

Esas esferas del cuerpo causal son nuestros tesoros almacenados en el cielo. Contienen la energía de todo lo valioso y noble que hemos realizado y desarrollado a lo largo de nuestra existencia. La energía de luz de todos nuestros talentos y logros está disponible en nuestro Yo Superior, y podemos recurrir a ellos en cualquier momento de nuestra vida. Veamos, quizá cuando eras pequeño o pequeña destacabas en el dibujo o en la pintura, pero una vez que te metiste de lleno en tu profesión perdiste interés. Si ahora deseas desarrollar esa vena artística, puedes llamar a tu poderosa Presencia YO SOY para que te envíe todas las aptitudes y talentos que has desarrollado con anterioridad en esta o en otras vidas.

De todos modos, conectar con las riquezas del cuerpo causal es solo el principio. Cuanto más karma saldas, más luz del cuerpo causal se ancla en el aura para elevarte a ti mismo y a otros. El acceso total a este tesoro hallado de logros se obtiene por medio de la reunión con la Presencia YO SOY, lo cual se consigue en el ritual de la ascensión. En realidad, el cuerpo causal se convierte entonces en un único cuerpo de luz de maestro ascendido para cada cual. Y decimos único porque nadie más ha tenido ni las mismas experiencias ni los mismo triunfos. ¡Esta es la gloriosa promesa que nuestro cuerpo causal nos hace!

Ahora ya tienes una comprensión general de cómo se usa el libre alberdrío, cómo se hace karma y cómo creamos constantemente las circunstancias de nuestra vida. La meta final de nuestro viaje es la reunión progresiva con el Yo Crístico y con la Presencia YO SOY. Y lo que empezó como una gota indistinguible en el océano de la conciencia divina se convierte en un ser espiritual totalmente individualizado, un ser con talentos y logros únicos. Cada uno de nosotros tiene un papel en la evolución espiritual que nadie más puede desempeñar y cada uno realiza una misión que nadie más puede llevar a cabo. Esta misión constituye el verdadero propósito de nuestro ser, y nos toca a nosotros descubrirla en el trayecto de la vida, en la aventura del espíritu.

> *No os hagáis tesoros en la tierra, donde la polilla y el orín corrompen, y donde ladrones minan y hurtan; sino haceos tesoros en el cielo, donde ni la polilla ni el orín corrompen, y donde ladrones no minan ni hurtan. Porque donde esté vuestro tesoro, allí estará también vuestro corazón.*[57]
>
> JESUCRISTO

---

57. Mateo 6:19-21.

Meditación: Atraer la luz del cuerpo causal

Esta meditación consiste en un método que tiene por objeto magnetizar la luz del cuerpo causal para que te llene el aura. Proviene de un dictado que dio el Maestro Ascendido Buda Gautama a través de la mensajera Elizabeth Clare Prophet el 4 de julio de 1992, en el cual dijo:

Comprendamos y recibamos la meditación de los anillos del cuerpo causal, las poderosas esferas de luz. Oh, mis muy amados, si un día encajarais dentro del gran Darmakaya[58], en lo más recóndito del corazón del YO SOY EL QUE YO SOY, estaríais entonces en presencia de esas grandes y poderosas esferas del cuerpo causal de Dios y las llegaríais a conocer.

Por tanto, por medio de la magnetización desde abajo de lo que está arriba, empecemos a percibir y a visualizar esos anillos. Vedlos como anillos planos colocados en posición horizontal. Luego visualizadlos extendiéndose desde vuestro chakra del corazón, uno tras otro, mientras observáis el gran cuerpo causal en la gráfica de la Presencia [...].

Ved cómo se extienden los anillos, amados. Mirad cómo salen. Fijaos en el ígneo poder del blanco, del amarillo, del rosa, del violeta, del morado, del verde y del azul. Ved esa poderosa acción, amados, y sabed que cada día, a medida que vais llenando esos anillos con acción, oración, determinación, voluntad y con todo lo que hacéis para la gloria de Dios, como es arriba así abajo, os convertís en esa emanación áurica de vuestro Dios [...].[59]

Pasos de la meditación:

1. Céntrate en el corazón. Si quieres puedes cantar el om para rodear de paz tus cuatro cuerpos inferiores.

2. Observa la imagen del cuerpo causal. Fíjate en las esferas de color y en la secuencia de los colores de cada una que van extendiéndose desde el centro hacia fuera: blanco, amarillo, rosa, violeta, morado, verde, azul. Sigue mirando el cuerpo causal hasta que puedas ver los anillos en el ojo de tu mente.

3. Visualiza tu chakra del corazón como un resplandeciente sol de fuego blanco en el centro de tu pecho.

---

58. *Darmakaya* (palabra sánscrita): Cuerpo de Esencia, Cuerpo de la Ley o Verdad. Tercer cuerpo del *trikaya* (los tres cuerpos del Buda); «esencia-ser» de todos los Budas, inmutable e indiferenciada, idéntica al conocimiento absoluto de la realidad. Este cuerpo equivale a la Presencia YO SOY y al cuerpo causal.

59. *Pearls of Wisdom*, vol. 35, nº 41, pág. 516.

4. Visualiza los anillos del cuerpo causal extendiéndose horizontalmente desde tu corazón, empezando con el blanco en el centro y acabando con el azul en el exterior. Visualiza todos los anillos hasta que los veas todos con tu ojo interno. Si durante la meditación se te olvida qué rayo va después, abre los ojos y mira el dibujo del cuerpo causal.

5. Trata de sentir el gran poder de estos anillos a medida que laten e irradian su luz a través de tu aura. Siente cómo tu aura y todo tu cuerpo quedan sumergidos en la luz de los siete rayos.

6. Mantén la visualización tanto como te resulte cómodo.

7. Envía sentimientos de gratitud a tu poderosa Presencia YO SOY por toda la luz y belleza que hay almacenadas en tu cuerpo causal.

8. Acaba la meditación con el OM.

9. Anota tus experiencias en el diario.

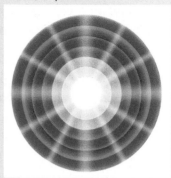

Cuerpo Causal

Lecciones que aprendemos en el aula llamada Tierra

No toda la energía que hemos enviado a través de los chakras consigue regresar al cuerpo causal. ¿Qué sucede con la energía en la que se han grabado patrones de imperfección o impureza? ¿Que ha pasado con las heridas, las aversiones, los comportamientos arrogantes, las preocupaciones, los resentimientos y los miedos que han fluído de nuestros chakras al mundo?

Este tipo de energía calificada negativamente retorna en forma de «mal» karma. La energía no puede elevarse al cuerpo causal, ya que tiene cierta densidad que es incompatible con la alta frecuencia de la energía de luz que hay en el cuerpo causal. Hasta que no la transformamos en energía pura y positiva, esa energía negativa permanece en el campo energético de nuestros cuatro cuerpos inferiores. Obstruye los chakras y les impide girar e irradiar a pleno rendimiento, lo cual, además, reduce el flujo de energía disponible para nuestro uso. Esta energía negativa impregna el aura, en la cual se manifiesta con la apariencia de patrones dentados y colores oscuros que no reflejan las vibraciones puras de los siete rayos. Con el tiempo, se acumula en la mitad inferior del aura en forma de registros kármicos y patrones de energía discordante.

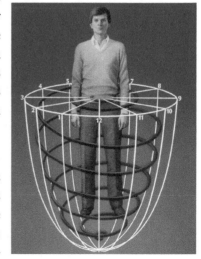

Los maestros ascendidos utilizan el término «cinturón electrónico» para referirse a esa mitad inferior del aura, en la que se acumulan esos registros. Es la parte de nuestra anatomía espiritual que conocemos como «desagradable» o «fea», en contraposición a la hermosa luz de nuestro cuerpo causal. Nuestros registros subconscientes e inconscientes pueden encontrarse aquí como componentes de nuestro karma negativo, que hemos desarrollado durante todas nuestras encarnaciones. Esa energía negativa acumulada, sin embargo, no se limita a permanecer en

El cinturón electrónico

el aura y en la conciencia. Nos puede abrumar, por así decir, ya que se relaciona directamente con desequilibrios psicológicos y emocionales y es, en definitiva, responsable de problemas físicos, enfermedades, vejez y muerte. Es lo contrario a la energía vigorosa de nuestro cuerpo causal, la cual nos magnetiza hacia los reinos espirituales.

Así pues, la ralentización y densificación de los chakras y de los cuatro cuerpos inferiores es el precio que pagamos por la energía que no hemos invertido sabiamente. No se trata de un castigo, sino de una lección kármica que nos enseña a elegir y decidir mejor en lo concerniente a la utilización de la energía divina que nos ha sido confiada. De hecho, el karma negativo puede servirnos como el mejor maestro de este mundo, siempre que estemos dispuestos a escucharlo y a acogerlo como un espejo y un instructor para nuestra alma.

Saldar karma

Al examinar el escenario kármico, con su belleza y sus desafíos, es importante darse cuenta de que el karma y los patrones de energía no están escritos en piedra. La energía siempre está en movimiento. Puede cambiar de polaridad, de negativa a positiva, y puede elevarse de vibración mediante un esfuerzo consciente. Por lo tanto, se nos puede absolver de cualquier karma negativo en que hayamos incurrido en esta o en anteriores vidas, es decir, podemos «saldarlo».

Puede compararse hacer karma negativo con pedir un préstamo a un banco para luego realizar una mala inversión. La carga que conlleva ese error financiero no desaparece hasta que la deuda se ha saldado totalmente. Saldar o equilibrar el karma negativo forma parte del sendero espiritual en la misma medida en que la aceleración de conciencia también es parte de él. De hecho, es necesario equilibrar karma negativo si se desea ser completamente libre y reunirse con la Presencia YO SOY.

Formas de saldar karma

No se trata de un proceso previsto hasta en el más mínimo detalle: implica muchas dinámicas de flujo energético. Pongamos por caso que Juan hirió a Inés. ¿Significa eso que Inés debe herir a Juan para equilibrar el karma? ¿O significa que otra persona que hiriese a Juan lo saldaría? ¿Puede equilibrarse el karma de alguna manera impersonal? ¿Es menor el karma si la lesión fue accidental que si fue premeditada o malintencionada? Y podríamos seguir con más preguntas. Es fácil concluir que participan muchos elementos del flujo de energías en el proceso de saldar un determinado karma. En el siguiente capítulo veremos mejor esas dinámicas. En síntesis, los maestros ascendidos nos enseñan que hay tres maneras diferentes de saldar el karma negativo: soportándolo, sirviendo a la vida o transmutándolo.

Soportar el karma

Consiste en dejar que la energía negativa retorne y atravesar la situación con algún grado de gracia. Es la forma más pasiva de equilibrar el karma y ocurre de manera natural con el paso del tiempo. La mayoría de la gente del mundo se halla en el polo receptor de su propio karma. A medida que les va llegando dejan que se resuelva, mientras sufren o luchan contra él en el transcurso de la vida cotidiana. El karma negativo puede, por ejemplo, manifestarse en nuestro cuerpo mediante cansancio, enfermedades o discapacidades. Puede surgir en forma de roces o desavenencias, antagonismo u otros desafíos que aparecen en las relaciones. Puede asimismo adoptar la forma de un sinnúmero de circunstancias o acontecimientos de la vida, a veces evidenciándose a través de desgracias o repentinos accidentes; en ocasiones, disfrazándose de desastre o catástrofe natural que afecta a unos, pero deja milagrosamente ilesos a otros.

Si permanecemos tranquilos y desapegados al atravesar esos desafíos, viéndolos como lecciones que pueden contribuir a que reevaluemos nuestra vida, estamos dejando que el karma que retorna se resuelva por sí mismo. Por otro lado, enojarse o disgustarse por el destino que nos ha tocado puede generar karma nuevo según el patrón antiguo, reforzando el karma original y provocando que siga volviendo hasta que el alma finalmente entienda el significado más profundo de la experiencia y modifique su postura.

Servir a la vida

El servicio a la vida es un método más dinámico de saldar el karma. Puede prestarse servicio en el contexto de las relaciones familiares, de los empleos y de las interacciones armoniosas. De hecho, podemos ver a cada individuo que llega a nuestra vida como una oportunidad de saldar karma: desde el desconocido que nos encontramos en un autobús, al empleado de la tienda de alimentación, pasando por el cirujano que nos opera.

Es conveniente buscar maneras de servir a la vida, las cuales nos aportarán buen karma que podremos añadir a la hora de compensar el karma negativo. Sal a buscar a alguien a quien ayudar y haz algo que no espere de ti. Cuida de un amigo que padezca alguna enfermedad crónica, ofrécete para colaborar con los bomberos o en un hospicio, corta el césped de algún vecino anciano, dedica algún sábado a ayudar en un refugio para indigentes, en labores de desescombro de autopistas, o a plantar árboles en zonas deforestadas. Hay infinidad de maneras de hacer buen karma a través del servicio a la vida que nos rodea. Los maestros dicen que este buen karma adquirido por el servicio contribuye a equilibrar el karma negativo que hayamos hecho.

Transmutar el karma con la llama violeta

Existe un método espiritual revolucionario que ayuda a saldar el karma negativo consistente en utilizar una energía de alta frecuencia denominada llama violeta. La llama violeta tiene el poder de transmutar karma y restituir el estado de pureza original a la energía mal calificada. Es uno de los medios espirituales más efectivos para atajar la causa, el efecto, el registro y la memoria del karma negativo. Quienes han utilizado la llama violeta de manera constante atestiguan que ha aligerado su carga kármica y que es un asombroso componente añadido a su sendero espiritual.

Se puede mitigar el karma

Puede ocurrir que la llama violeta no nos alivie por completo del karma cuando debamos experimentar una parte de él, puesto que hay ciertas lecciones que debemos aprender para crecer espiritualmente. De modo que, aun habiendo usado con diligencia la llama violeta, a veces no tendremos más remedio que padecer fragmentos mayores o menores de karma negativo que nos retorna. Lo esperanzador es que puede revestir la forma de lo que conocemos como karma mitigado o simbólico en los casos en que el impacto total del karma se mitiga debido a los méritos que se han ganado con el servicio a la vida, la dedicación a un sendero espiritual o por la gracia que se concede al alma. Así pues, en ciertos casos se recibe karma simbólico con el que se saldará algún karma que, de otro modo, habría sido más severo.

Una historia de karma simbólico

En su libro, Autobiografía de un yogui, *Paramahansa Yogananda expone un ejemplo impresionante de karma simbólico, en este caso, administrado por un maestro iluminado capaz de leer el registro kármico de uno de sus estudiantes. La escena la protagonizan un grupo de discípulos sentados alrededor de un gran fuego junto con su gurú, el gran maestro Babaji. En un momento dado, este súbitamente tomó un leño ardiendo y golpeó ligeramente a uno de sus discípulos en el hombro.*

Lahiri Mahasaya, uno de los que destacaba en el grupo, protestó por ello exclamando: «¡Señor, qué crueldad!». Babaji replicó: «¿Prefieres verle arder hasta las cenizas, ante tus propios ojos, de acuerdo con lo decretado por su karma pasado?». Luego colocó su milagrosa mano sobre el hombro desfigurado del discípulo y le dijo: «Hoy te he librado de una muerte dolorosa. La ley kármica ha quedado satisfecha con el pequeño sufrimiento que has tenido por el fuego».[60]

Reflexión: El libre albedrío y el karma

Dedica un tiempo a reflexionar sobre los distintos aspectos que conforman la calificación de la luz y las maneras en que hacemos karma que se han expuesto en este capítulo, sobre todo los conceptos nuevos. Responde a las siguientes preguntas, que te servirán como guía en tus reflexiones. Si lo deseas, escribe las respuestas en tu diario.

1. ¿Cuáles son las formas en que reconozco que hago buen karma? (Haz una lista, si quieres, de situaciones concretas.) ¿De qué maneras califico positivamente la energía y la luz de mis chakras?

2. ¿Cuáles son las formas en que reconozco que hago karma negativo? (Haz una lista de situaciones concretas, si lo deseas.) ¿De qué maneras califico negativamente la energía y la luz que fluye a través de mis chakras?

3. Si pudiera cambiar algún aspecto de mí mismo o de mí misma en este instante, ¿cuál sería? ¿Por qué quiero cambiarlo? ¿Cómo me gustaría cambiarlo? ¿Qué tengo que hacer para que se produzca este cambio?

---

60. Paramahansa Yogananda: *Autobiografía de un yogui.* 1ª impr. en edición bolsillo en español. Los Ángeles, California: Self-Realization Fellowship, 2001; pág. 373.

Aumenta la eficacia de tus decretos

Todos queremos sacar máximo provecho del tiempo que dedicamos a cualquier actividad. Lo mismo ocurre con los ejercicios espirituales. Queremos que nos funcionen tan rápido, tan fácil y tan bien como sea posible. En esta sección hallarás las claves encaminadas a ese fin. Puedes disfrutar más de los decretos y aumentar su poder si los haces en un entorno apropiado, manteniendo la postura adecuada y una respiración correcta. También puedes incrementar su influencia si entonas las palabras con la autoridad de tu Yo Crístico y te centras en el corazón mientras visualizas el resultado deseado. Ensaya estas técnicas a fin de observar su eficacia por ti mismo.

Elige un lugar para decretar

Es preferible decretar en una habitación en la que nadie te pueda molestar. Siempre es mejor si la mantienes limpia, bien iluminada y ventilada. El polvo, el desorden, el aire viciado y una iluminación escasa reducen la eficacia de los decretos porque impiden el flujo de la luz que estás invocando y pueden, asimismo, repeler a los ángeles, los cuales siempre contribuyen a amplificar las energías liberadas por tu Presencia YO SOY y por los maestros. También puedes colocar en la habitación donde vas a decretar, si lo deseas, una mesa o escritorio y una silla a fin de facilitar tu trabajo con los decretos.

Postura para decretar

Mantener una postura adecuada mientras decretas te será de ayuda a la hora de invocar la luz para que esta fluya más libremente a través de tus centros espirituales. Si te sientas con la columna recta y la cabeza erguida, tus siete chakras principales quedarán alineados, lo cual permitirá que la energía se desplace con más facilidad por los chakras y por tus cuatro cuerpos inferiores. Hay quien opina que las sillas con un respaldo recto facilitan una postura correcta. Si te resulta más cómodo, puedes optar por la postura del loto completo o el medio loto.

Una vez sentado o sentada, es conveniente no cruzar los brazos ni las piernas y colocar los pies planos sobre el suelo. El cruce de manos o piernas puede causar un «cortocircuito» de las energías que invocas. Los pies planos en el suelo hacen que esa luz circule libremente a través de ti y se ancle en tu entorno. Es igualmente recomendable poner las manos en forma de copa, con las palmas hacia arriba, encima de tu regazo. Como hay un chakra de un rayo secreto en el centro de cada una de ellas, al colocarlas en forma de copa cuando decretas, esos chakras podrán contener más cantidad de la luz fluyendo hacia ti desde tu Yo Superior.

Mientras decretas, puedes mantener con más facilidad la columna recta si sostienes la hoja con el decreto a la altura de los ojos o ligeramente por debajo. Ello evita que inclines la cabeza para leerlo. Si lo prefieres, puedes sentarte frente a una mesa en la que puedas apoyar el decreto sobre un libro u otro objeto, dejando así las manos libres para recibir las bendiciones que estás invocando por medio de los decretos. La repetición facilita la memorización del decreto, lo cual solventará totalmente el problema.

Respira profundamente

Los decretos dan mejor resultado cuando respiras profundamente y con regularidad. Una respiración fuerte y profunda puede proyectar la energía de luz a través de tus chakras. La siguiente técnica te servirá para adquirir la costumbre de respirar de forma correcta. Al inspirar, infla el abdomen. Luego espira mientras lo metes hacia dentro. Ello te permitirá concentrar la atención en la zona abdominal inferior y en el diafragma, para que los pulmones se llenen desde el fondo. Si practicas este ejercicio a menudo, comprobarás que respirar profundamente te resultará más fácil. Podrás, así, decretar con más poder y obtendrás mayores resultados.

Cuando estés listo o lista para comenzar la sesión de decretos, haz una respiración lenta y profunda. Expulsa todo el aire de los pulmones, luego inspira despacio. Puedes entonar el OM o el YO SOY EL QUE YO SOY lentamente, al espirar una o varias veces antes de iniciar tu sesión, para sintonizarte con tu Yo Superior.

Mientras decretas, mantén una respiración lenta y rítmica. Trata de no quedarte sin aliento. Intenta hacerla más lenta para que puedas pronunciar las frases con fluidez al mismo tiempo que respiras, de modo que puedas poner todo el poder en las palabras. Al hacerlo así, los pulmones cooperan con el cerebro y con las cuerdas vocales para atraer la máxima cantidad de luz desde la Presencia YO SOY.

Habla con autoridad

Las afirmaciones o los decretos se pronuncian con la autoridad del Santo Ser Crístico y de la Presencia YO SOY y no con la conciencia humana. Cuando logras estar sintonizado de forma adecuada, tu Yo Superior es quien en realidad recita el decreto y se convierte en el cumplimiento del mismo en la Tierra.

El sonido físico y la vibración que resultan del decreto constituyen una fase del proceso de afianzar la luz espiritual en el plano físico. Dicho proceso se realza cuando eres capaz de decretar a plena voz. Ello tiene como propósito dirigir con claridad y potencia la luz de tu poderosa Presencia YO SOY para que pueda operar cambios positivos en las circunstancias propias, familiares, de tu comunidad y del mundo.

Las palabras pronunciadas con voz fuerte suelen emitir un poder mayor que las susurradas. No obstante, no siempre es posible hacerlo. Este sería el caso cuando decretamos en un lugar público, en un apartamento rodeado por otros en un mismo edificio, o en una habitación en la que otra persona está estudiando o durmiendo. En tales situaciones, obviamente es mejor decretar en voz baja, en susurros o incluso con la mente, que no decretar en absoluto. Y, más importante que decretar en voz alta, es centrarse en el amor del corazón cuando recitas un decreto.

Centrarse en el amor del corazón

Toda persona con orientación espiritual ve el corazón como una fuente de energía y poder inmensos. Sabemos que el corazón es aquella parte de ti donde reside Dios y tu punto de contacto con el Espíritu, así como la fuente de inspiración y autotrascendencia. Reviste especial interés ese contacto con la llama de la cámara secreta del corazón cuando practicas la ciencia de la Palabra hablada, puesto que ello puede amplificar en gran manera la acción de los decretos.

Los maestros ascendidos han explicado que el amor que hay en nuestro corazón determina el poder de nuestros decretos. Cuando enviamos a Dios devoción y gratitud, trazamos un camino hacia nuestro Yo Superior y hacia los maestros ascendidos que les permitirá mandarnos de vuelta una corriente de ese amor. El amor que enviamos desde el corazón mientras recitamos decretos es capaz de intensificar mil veces el poder que tienen.

Centrarte en el corazón te capacita también para atraer la luz de tu Yo Superior de una forma poderosamente abierta e intuitiva. Algunas personas notan que, cuando entran en contacto con la llama de su corazón, al instante sienten una conexión directa con su Yo Crístico y su Presencia YO SOY. Ese contacto representa una sintonía interna que produce mayor sensibilidad y orientación al decretar, y hace que entre más luz a través de ti.

Visualiza para obtener mayores resultados

La visualización consiste simplemente en crear imágenes visuales en la mente. Hay quienes son capaces de hacerlo con facilidad, de modo que pueden ver con el chakra del tercer ojo como si estuvieran viendo una foto o mirando una pantalla de televisión. La mayoría visualizamos por medio de la imaginación, con nuestra mente. Ambos métodos funcionan.

Se ha demostrado que la visualización contribuye al logro en muchos ámbitos. Con el fin de obtener éxitos mayores, tanto entusiastas del deporte como dramaturgos o conferenciantes se visualizan a sí mismos ejerciendo triunfalmente su oficio antes de entrar en escena. ¡Y en efecto obtienen éxito! De hecho, en algunas universidades se han realizado investigaciones demostrativas de que la mente humana no distingue entre visualización mental y actividad realmente física.

Podemos sacar provecho de ello si utilizamos la visualización para aumentar la eficacia de la ciencia de la Palabra hablada. Al concentrarnos conscientemente en la imagen de lo que deseamos crear, contribuiremos a que la Presencia YO SOY lleve a cabo nuestras órdenes. Eso es así porque la visualización actúa como un imán que atrae las energías creativas del Espíritu para satisfacer el proyecto original sostenido en nuestra mente.

Puesto que la visualización es un amplificador tan importante, resulta mejor emplearla cada vez que decretes, si puedes. La memorización de los decretos lo hará más fácil. Concéntrate en visualizar el principal resultado positivo de tu decreto. Por ejemplo, si deseas disolver la tensión existente en una relación, visualiza la llama violeta rodeándoos a ti y a la otra persona mientras recitas un decreto de llama violeta.

Aunque tengas dificultad para visualizar, el decreto funciona de todas formas. Pero si eres capaz de visualizar la acción deseada, observarás que los resultados se obtienen más fácil y rápidamente. En el siguiente ejercicio, «expande el poder de tus decretos», puedes empezar a practicar la visualización de la llama violeta. Intenta, si quieres, hacer esta sencilla tarea antes del ejercicio, si crees que te va a resultar difícil visualizar.

1. Enciende una vela.

2. Concéntrate en la llama durante unos segundos.

3. Cierra los ojos.

4. Observa la llama en el ojo de tu mente.

5. Colorea mentalmente la llama violeta.

6. Repite los pasos del 1 al 5 hasta que seas capaz de formarte una imagen clara de la llama violeta.

Júntalo todo

Utilizar la ciencia de la Palabra hablada permite que la energía pase, en ciclos, a través de tus cuatro cuerpos inferiores a fin de crear una vida y un mundo mejores. Empleas los cuerpos físico y emocional para pronunciar la Palabra. Tu postura, respiración y chakra de la garganta se usan para invocar la energía que el decreto apela. Centrarse en el corazón te permite utilizar tu cuerpo etérico como conducto puro y santo para la luz. Por último, la visualización usa tu cuerpo mental para establecer el patrón perfecto a fin de que la luz se abra paso. Por tanto, si juntas todos estos factores conseguirás la mayor emisión de luz del Espíritu a la materia y te colocarás en el sitio que te corresponde como cocreador con Dios.

Practica la Palabra hablada: Expande el poder de tus decretos

Este ejercicio te dará la oportunidad de practicar todas las técnicas que hemos tratado a lo largo de esta sección sobre la Palabra hablada. Al seguir estos pasos cuando haces un decreto podrás lograr una sesión más eficaz, así como mayores beneficios. Este ejercicio incluye un nuevo decreto de llama violeta: «Radiante espiral de llama violeta».

1. Instálate en una habitación limpia, bien iluminada, en la que nadie te pueda molestar. Siéntate frente a un escritorio o una mesa que te permita colocar la hoja con el decreto a una distancia de los ojos que te resulte cómoda, sin que tengas que inclinarte.

2. Siéntate en una silla que tenga un respaldo recto, sin cruzar brazos ni piernas, con los pies planos en el suelo y las manos en forma de copa sobre el regazo, o en posición de loto o de medio loto.

3. Cierra los ojos y durante treinta segundos respira profundamente desde el abdomen (vientre) hasta que te sientas tranquilo y centrado. En la última espiración, entona el YO SOY EL QUE YO SOY despacio y pausadamente.

4. Concentra tu atención en el corazón, muy al fondo. Recuerda algún suceso o imagen especial de tu vida que te traiga sentimientos de amor, gratitud o aprecio. Deja que se expandan y crezcan.

5. Visualiza la llama violeta llenándote el aura. Puedes usar una imagen de esta llama para facilitarte la labor. Observa cómo se extiende en todas direcciones a tu alrededor en un diámetro de unos tres metros (nueve pies).

6. Recita el siguiente decreto tres veces de forma pausada mientras sostienes la visualización de la llama violeta.

Radiante espiral de llama violeta

(Preámbulo)

En el nombre de la amada poderosa victoriosa Presencia de Dios, YO SOY en mí, y de mi muy amado Santo Ser Crístico, yo decreto:

(Parte principal del decreto)

**¡Radiante espiral de la llama violeta,
desciende y destella a través de mí!**

**¡Radiante espiral de la llama violeta,
libera, libera, libera!**

**¡Radiante llama violeta, oh, ven,
impulsa y destella tu luz en mí!**

**¡Radiante llama violeta, oh, ven,
revela el poder de Dios para todos!**

Alma en el cuerpo físico

¡Radiante llama violeta, oh, ven,
despierta la Tierra y libérala!

¡Resplandor de la llama violeta, ven,
estalla y ebulle a través de mí!

¡Resplandor de la llama violeta, ven,
que todos te vean, expándete!

¡Resplandor de la llama violeta, ven,
establece tú, misericordia aquí,

¡Resplandor de la llama violeta, ven,
transmuta ahora todo temor!

(Cierre)

¡Y con plena Fe acepto conscientemente que esto se manifieste, se manifieste, se manifieste! (recítese tres veces), ¡aquí y ahora mismo con pleno Poder, eternamente sostenido, omnipotentemente activo, siempre expandiéndose y abarcando el mundo hasta que todos hayan ascendido completamente en la Luz y sean libres!

¡Amado YO SOY! ¡Amado YO SOY! ¡Amado YO SOY!

CAPÍTULO 6

Reencarnación: Más allá del velo de esta vida

Las llaves de tu pasado, presente y futuro

Hemos aprendido algunas cosas acerca de nuestro Yo Superior, nuestra anatomía espiritual, nuestro libre albedrío para usar la energía y cómo hacemos karma. Estos temas nos conducen al estudio de la reencarnación como el proceso mediante el cual saldamos nuestras siembras negativas y volvemos a unirnos con nuestra Presencia YO SOY. Aunque el Ser Divino se encuentra dentro de nosotros, no podemos abarcarlo todo de golpe, sino que ha de ser poco a poco, día a día, año tras año, vida tras vida.

La perspectiva histórica y cultural sobre la reencarnación sirve para que la mente occidental abra los ojos. Un somero examen de los divesos factores que pueden exigir que un alma reencarne puede resultar esclarecedor. Por ello, se incluyen interesantes casos estudiados y hallazgos científicos que ejemplifican la reencarnación. Asimismo, se arroja luz sobre los puntos de vista de la Biblia y de los maestros ascendidos. Obtendrás una mayor comprensión de esos planteamientos al leer con una mente y un corazón abiertos.

> *Mi vida, tal como la he vivido, me ha parecido, a menudo, una historia sin principio ni fin. He tenido la sensación de ser un fragmento histórico, un extracto al que le faltaban el texto precedente y el siguiente. Bien podría imaginarme viviendo en siglos anteriores, encontrando en ellos preguntas a las que todavía no podía responder; y teniendo que nacer de nuevo porque no pude llevar a cabo la tarea que se me encomendó. Cuando muera, mis actos me seguirán: así es como lo imagino. Me llevaré conmigo lo que haya hecho. Entretanto, es importante que me asegure de no llegar al final con las manos vacías.*[61]
>
> CARL JUNG

La vida sigue

Al igual que Carl Jung, el buscador espiritual espera no llegar al final de la vida «con las manos vacías». De modo que se preocupa de escribir la historia de su vida día a día. Desempeña distintos papeles —padre, estudiante, amigo, esposo, empleado o jefe— lo mejor que puede y, aunque hacerlo implica un gran esfuerzo, cada alma sabe, sin embargo, que esa continua lucha le permitirá en algún momento alcanzar la meta consistente en unirse a la Presencia YO SOY. En el contexto de ese esfuerzo por alcanzar la meta de la vida, la reencarnación se presenta como una solución ante el desafío de saldar el karma.

---

61. Carl Jung: *Memories, Dreams, Reflections.* Citado en Joseph Head y S.L. Cranston, comp. y ed. *Reincarnation: The Phoenix Fire Mistery.* Nueva York: Crown Publishers, 1977; pág. 560.

Es muy fácil hacer karma negativo, aunque no lo es tanto saldarlo. La ley del karma es exacta. Puede hacerse karma con determinadas personas. Y para llegar a saldarlo, el alma quizá tenga que esperar a que todas las almas implicadas desde el origen estén presentes de nuevo, o que ocurra la misma situación, o ambas cosas a la vez. Puede, incluso, que tenga que esperar durante varias vidas.

Según la ley del karma, los pensamientos, palabras y obras de vidas pasadas han determinado las circunstancias de la actual. Y los pensamientos, palabras y obras de esta vida determinarán el destino de las futuras. ¿Vidas pasadas y futuras? Mientras que algunos que lean estas palabras quizás ya crean en la reencarnación, para otros puede tratarse de un concepto nuevo. Las siguientes reflexiones sobre reencarnación servirán para que quienes estén menos familiarizados con el concepto obtengan una comprensión más profunda.

Perspectiva histórica

La reencarnación se contempla en nuestro planeta de modos diferentes. Resulta interesante comprobar con qué amplia aceptación cuenta en algunos ámbitos y con cuánto escepticismo se la observa en otros. Echemos una ojeada a las pruebas que la historia ofrece acerca de la reencarnación.

Todo el mundo es un escenario,

y todos los hombres y mujeres meros actores:

todos tienen sus salidas y sus entradas,

y un hombre en su tiempo interpreta muchos papeles.[62]

SHAKESPEARE

Antes de la llegada del cristianismo, la reencarnación formaba parte de las creencias espirituales de la mayoría de los pueblos de Europa, entre ellos las primeras tribus teutónicas, los finlandeses, islandeses, lapones, noruegos, suecos, daneses, los primeros sajones y los celtas de Irlanda, Escocia, Inglaterra, Bretaña, Galia y Gales. Los galeses incluso han reivindicado que fueron los celtas los que llevaron originalmente a la India la creencia en la reencarnación. El autor Ignatius Donnelly sugiere que la creencia de los celtas en la reencarnación procedía de los habitantes del continente perdido de la Atlántida, los cuales emigraron a Irlanda.[63]

Budismo

La creencia en la reencarnación se ha extendido por todos los continentes y ha alcanzado a un sinnúmero de personas. Según algunos estudiosos, las afirmaciones vertidas por el historiador judío del siglo I d.C. Josefo indicaban que los fariseos y los esenios creían en la reencarnación. Algunas tribus de indios americanos,

62. Shakespeare: *Como gustéis.* Acto 2, esc. 7, líneas 138-41.
63. Ignatius Donnelly: *Atlantis: The Antediluvian World*, ed. rev., ed. Egergon Sykes. Nueva York: Gramercy Publishing Company, 1949; págs. 251, 254-55.

así como numerosas tribus de América Central y del Sur, creían también en la reencarnación. Los estudiantes de la cábala, un antiguo sistema de misticismo esotérico judío cuyas enseñanzas fueron publicadas por primera vez en el siglo XIII, la enseñaban. Dicha creencia forma todavía parte del movimiento hasídico judío, el cual se fundó en el siglo XVIII.

Actualmente, más de cien tribus africanas creen en la reencarnación. Otras tribus esquimales y de Australia central, además de muchos pueblos del sur del Pacífico, incluidos hawaianos, tahitianos, melanesios y okinawenses, acogieron también esa creencia. Los conceptos de la reencarnación más elaborados y desarrollados hoy día se encuentran en las tradiciones religiosas de la India, sobre todo en el hinduismo, el budismo, el jainismo y la religión *sij* (o *sikh*).

Ciertos personajes históricos famosos creyeron en la reencarnación. Entre ellos cabe citar a Pitágoras, Platón, Orígenes de Alejandría, Nietzsche, Ralph Waldo Emerson, Kahlil Gibrán, Benjamín Franklin, el general George Patton y Henry Ford, entre muchos otros.

Hinduismo

¿Por qué muchas personas son reacias a aceptar esta doctrina con base histórica? La mayor parte de las objeciones que existen en Occidente provienen de aquellos cristianos que afirman que dicha creencia va en contra de los principios que Jesús enseñó. Pese a que se trata de una minoría entre los miles de millones de habitantes del planeta, ciertamente han sido bastante ruidosos e inflexibles. Tales puntos de vista son merecedores de expresa consideración a fin de esclarecer cualquier confusión.

Las enseñanzas de Jesús sobre la reencarnación

El argumento utilizado por parte de ese sector cristiano contra la reencarnación se basa fundamentalmente en doctrina y dogma transmitidos durante siglos que no la respaldan como creencia. Estas opiniones contrarias señalan que la reencarnación no está en la Biblia y que Jesús no la enseñó, y por tanto, no es real o verdadera. No obstante, los estudiosos que han examinado diversas traducciones de la Biblia han averiguado que los miles de manuscritos que existen del Nuevo Testamento y los miles de citas bíblicas que se conservan en escritos antiguos difieren los unos de los otros en unos 250.000 puntos. Se efectuaron muchas alteraciones que eliminaron a lo largo de los siglos ciertas partes e incluso libros bíblicos enteros, algunas intencionadamente y otras no. Desde el Concilio de Nicea del año 325 d.C. hasta el Quinto Concilio General de la Iglesia celebrado en 553, se eliminaron de la Biblia y de la fe cristiana enseñanzas claras sobre la reencarnación[64]. A pesar de ello, existen todavía referencias en la Biblia que sustentan la hipótesis de que Jesús creía en la reencarnación.

---

64. *Pearls of Wisdom*, vol. 40, nº 23, pág. 140.

El hombre que nació ciego

Fíjate en este pasaje: «Al pasar Jesús, vio a un hombre ciego de nacimiento. Y le preguntaron sus discípulos, diciendo: "Rabí, ¿quién pecó, este o sus padres, para que haya nacido ciego?" Respondió Jesús: "No es que pecó este, ni sus padres, sino para que las obras de Dios se manifiesten en él"».[65]

La pregunta de los discípulos muestra que poseían una profunda comprensión de la ley espiritual, así como de las escrituras de su tiempo. Conocían las leyes del karma y la reencarnación ya que sabían que ese hombre pudo haber nacido ciego debido a sus pecados. Y si nació con pecado, sin duda tuvo que vivir antes. También conocían la ley del Antiguo Testamento según consta en el libro de Números que afirma que los pecados de los padres afligirán a los hijos hasta la tercera y cuarta generaciones.

Según el evangelista Juan, Jesús no hizo de la reencarnación una cuestión relevante, pese a que la aludida conversación entre sus discípulos se basaba en el conocimiento del karma y la reencarnación. No los corrigió ni los reprendió. Simplemente respondió que no se trataba de ninguna de las situaciones que ellos habían mencionado. El hombre no había pecado. Sus padres no habían pecado. Mas había nacido ciego en esta encarnación por su libre albedrío para que Jesús pudiera curarle y para que las obras de Dios se manifestaran en él y la gloria de Dios pudiera ser revelada. Este episodio indica que la discusión sobre la doctrina de la reencarnación entre Jesús y sus discípulos bien pudiera haberse producido.

El regreso de Elías

Veamos otra enseñanza de Jesús relativa a la reencarnación. Tres de sus discípulos, Pedro, Santiago y Juan, bajaban del Monte de la Transfiguración junto a Jesús. En la montaña, los discípulos habían visto a Moisés y a Elías aparecérsele y hablar con él. *Elías* es el nombre griego del profeta que vivió en el siglo IX a. C. Los discípulos preguntaron a Jesús: «¿Por qué, pues, dicen los escribas que es necesario que Elías venga primero?», refiriéndose a la profecía de que este vendría antes que el Mesías para prepararle el camino. Es decir, le estaban preguntando por qué Elías se apareció a Jesús desde el cielo en lugar de venir antes que él, tal como estaba profetizado. Jesús respondió: «"Ciertamente, Elías ha de venir a restaurarlo todo. Os digo, sin embargo: Elías vino ya, pero no le reconocieron sino que hicieron con él cuanto quisieron. Así también el Hijo del hombre tendrá que padecer de parte de ellos." Entonces los discípulos comprendieron que se refería a Juan el Bautista».[66]

---

65. Juan 9:1-3
66. Mateo 17:11-13

Comprendieron que se refería a Juan el Bautista porque ya conocían la doctrina de la reencarnación. La creencia misma que existía entre los judíos en tiempos de Jesús de que el profeta Elías vendría de nuevo como precursor del Mesías muestra que creían en la reencarnación. Así que cuando Jesús dijo «vino ya», estaba diciendo ni más ni menos que Elías ya había reencarnado en Juan el Bautista.

> *Juan el Bautista fue un profeta que vivió en la época de Jesús. Bautizaba a los judíos y les exhortaba a que se arrepintieran de sus pecados y se preparasen para la venida del poderoso que les bautizaría con el Espíritu Santo. Juan había reprendido a Herodes, rey de Judea, por casarse con la esposa de su hermano, por lo cual aquel lo encarceló y más tarde mandó decapitar. Vivió novecientos años después del profeta Elías.*

En resumen, ambos ejemplos de Jesús son valiosos porque 1º) muestran que la reencarnación era un tema conocido por los judíos de esa época, y 2º) en lugar de molestarse u objetarla, Jesús la apoyó. Existen otras referencias bíblicas a la reencarnación. Si deseas explorar un poco más este tema, *Reencarnación: el eslabón perdido en la cristiandad*, escrito por Elizabeth Clare Prophet y Erin L. Prophet, es un libro minucioso y bien documentado.

Asumir la responsabilidad es duro pero compensa

Mientras que hay quienes dudan de las doctrinas del karma y la reencarnación por motivos religiosos, otros permanecen escépticos o reacios a creer en ellas por razones que resultan más vagas o difíciles de articular. Swami Prabhavananda y Christopher Isherwood comentan esa actitud reacia en su libro *How to know God* («Cómo conocer a Dios»)[67]. Sostienen que aceptar estas verdades significa estar dispuesto a observar nuestra vida y asumir toda la responsabilidad de lo que hay en ella. Y a veces resulta difícil aceptar la responsabilidad directa de nuestros aspectos negativos. La tendencia humana conduce a mirar las imperfecciones de nuestros actos o a mirarnos a nosotros mismos y echar las culpas a algo ajeno. Es fácil culpar a Dios, a los padres, al entorno o la estructura social por los problemas que afrontamos. No lo es tanto creer en el karma y en la reencarnación, haciéndonos con ello responsables de nuestras acciones del pasado y de las actuales circunstancias difíciles.

Puesto que el acto de culpar a otros suele ser subconsciente, en ocasiones está de nuestro lado la errónea percepción de que no somos responsables. Tal actitud soslaya el hecho de que la ley universal del libre albedrío nos imputa la exclusiva culpabilidad por nuestros actos, y que la ley natural de la justicia determina el retorno de nuestro karma en función de esos actos. También hace que nos perdamos el gozo que constituyen la aventura y la oportunidad personales que nos llevan a decir: «He llegado aquí por mí mismo y puedo llegar adonde quiera con mi esfuerzo».

67. *How to Know God*, trad. de Swami Prabhavananda y Christopher Isherwood. Hollywood, California: Vedanta Press, 1987.

Cuando se adopta una actitud responsable, el alma salta de alegría ya que ha dado un paso enorme hacia la unión con su Yo Superior. Ello, a su vez, la conduce a estar dispuesta a cambiar lo que sea necesario para alinearse más con el proyecto divino original. Y, a pesar de las dificultades que quizá encuentre en el camino, el alma podrá resistirlas más fácilmente una vez que sea conocedora de que asumir la responsabilidad propia la llevará, al final, a la verdadera felicidad.

La respuesta a preguntas usuales

Hemos visto algunos aspectos históricos y psicológicos de creer en la reencarnación. Vamos a examinarla desde otro ángulo: cómo, de modos sutiles o no tan sutiles, se nos presenta en el día a día. Ello da la respuesta a muchas preguntas usuales, aunque no siempre se la reconoce como la respuesta. Veamos a continuación unas reflexiones sobre algunos de los interrogantes.

Déjà vu

¿Has hecho alguna vez algo o has ido a algún lugar que te resultaba familiar, como si ya lo hubieras hecho o como si hubieras estado allí antes? ¿O has conocido a alguien que tenías la sensación de que ya le conocías? Casi todos hemos tenido experiencias de este tipo. Se las conoce como *déjà vu*, término que procede del francés y que significa «ya visto». Algunos lo minimizan restándole importancia al asunto, mientras que otros se dan cuenta de que el karma y la reencarnación bien podrían ser la razón de tal familiaridad. Ello obedece a que esas personas y lugares quizás hayan constituido una experiencia real durante una vida pasada. El alma las reconoce y trata de transmitir a la mente consciente que no son nuevas para ella.

He aquí un excelente ejemplo de déjà vu. La cantante de ópera Risë Stevens contó lo que le sucedió durante una actuación suya en el antiguo anfiteatro de Atenas. Mientras estaba cantando el aria de lamentación de Orfeo a los pies de la Acrópolis, «perdió todo contacto con la realidad». Sintió que regresaba a la antigua Grecia y revivía una vida anterior en la que había actuado en el mismo escenario. Más tarde escribió sobre la experiencia, explicando que había acabado el aria «como si estuviera en estado de trance». Hicieron falta cinco minutos de aplausos ensordecedores para traerla al presente.[68]

Aparentes injusticias

Cuando el estudiante espiritual se asoma al mundo y ve tantos miles de millones de personas, le asaltan muchos interrogantes. El corazón y el alma le dicen que Dios es amoroso y que el universo está lleno de luz. Sin embargo, el intelecto pregunta: «Entonces, ¿por qué ciertas personas nacen en la riqueza y son bien parecidas y, por el contrario, otras nacen con deformidades y en las peores circunstancias? ¿Por qué hay gente brillante y otros son retrasados mentales? ¿Por qué unos mueren mientras duermen y otros, en la guerra?».

---

68. Kyle Crichton: *Subway to the Met: Risë Stevens' Story*. Garden City, Nueva York: Doubleday & Company, 1959; págs. 237-38.

No existe explicación más lógica para tales diferencias que el karma y la reencarnación. Dotan de sentido a todos esos interrogantes. Eliminan las aparentes contradicciones entre un Dios amoroso y lo negativo que hay en el mundo. Mediante las elecciones hechas con el libre albedrío hemos utilizado la luz del universo y creado las circunstancias actuales de nuestra vida. Las diferencias que acontecen en el presente reflejan las acciones del pasado que vuelven al punto de origen mediante los ciclos de karma y reencarnación. Aunque las razones de esas diferencias no siempre se ven en el presente, no cabe hablar de injusticia en el momento en que somos conocedores de la extensión de los ciclos y del karma del pasado que conduce a ellos.

Niños prodigio

Es natural preguntarse dónde obtienen los niños prodigio su asombroso talento. Mozart, por ejemplo, comenzó componiendo minuetos a la edad de tres años y terminó su primera sinfonía a los cinco. ¿Pudo venirle ese extraordinario talento de sus padres, de un aprendizaje temprano o del entorno?

El logro de vidas pasadas nos ofrece la explicación más plausible a esos niños prodigio, cuyos excepcionales talentos no parecen tener otra justificación. Ese tipo de niños es poco común debido a su edad. No obstante, son un ejemplo de que podemos acceder a nuestros propios talentos procedentes de otras vidas atrayéndolos del cuerpo causal, donde se hallan almacenados.

Recuerdos de vidas pasadas

Algunas personas recuerdan vidas pasadas. Tales individuos reciben un trato social muy diferenciado: hay quienes los ponen en un pedestal, otros los ven como psicológicamente desequilibrados o locos, o hay incluso algunos que los ignoran por miedo. De cualquier modo, observar los recuerdos de una vida pasada de quien sea puede ciertamente cambiarnos la vida. Veamos uno de estos casos.

Una niña de tres años llamada Shanti Devi, que vivía en la India, empezó un día a hablar de su marido y de los hijos que había tenido en su vida anterior. Indicó a su nueva familia el nombre del esposo y dónde vivían. Describió la casa que habitaban y explicó que ella había fallecido después de dar a luz a su segundo hijo.

Enviaron a un pariente del anterior marido para que investigara. Shanti jamás había visto a ese hombre, pero le reconoció en seguida. Se echó a sus brazos y le contó acerca de su vida pasada. Era exactamente lo que él había atestiguado. Luego el marido y el hijo fueron a verla sin anunciarlo y ella los reconoció al instante.

Shanti condujo a continuación un comité de investigadores a su anterior hogar. Empleaba modismos conocidos en el lugar, pese a que nunca antes había estado allí. ¡Incluso señaló a los observadores dónde había enterrado algún dinero antes de morir! Los investigadores proclamaron más adelante que se trataba de un caso auténtico de reencarnación.[69]

Recordar vidas pasadas

Si la reencarnación es cierta, la pregunta que nos surge es por qué no todos recordamos nuestras vidas pasadas. A la luz del ejemplo que acabamos de leer podemos deducir la respuesta.

De cierto somos capaces de reconocer que las profundas emociones de Shanti tras los encuentros que mantuvo con seres queridos del pasado debieron ser un conmovedor tributo al vínculo que su alma tenía con otras personas. Sin embargo, podemos también imaginar que la complejidad de vivir dos vidas a la vez con toda probabilidad le resultaría difícil de llevar, y solo tenía tres años. El hecho de imaginar su angustia, su aflicción, puede ayudarnos a entender por qué la ley cósmica, con su infinita misericordia, cubre con un velo el pasado de la mayoría de nosotros. Tal misericordia en que consiste el olvido nos permite vivir cada episodio del presente libres de los recuerdos minuciosos del pasado que pudieran confundir las cuestiones del presente o nublar nuestras decisiones.

Recordar vidas pasadas a menudo depende de las necesidades del alma, como abordaremos más adelante en este capítulo. No obstante, lo cierto es que, los recordemos o no, los registros de nuestras encarnaciones pasadas yacen en las profundidades de nuestra alma e influyen en nuestras elecciones, actitudes y personalidad del presente.

Por qué reencarnamos

¿Cuál es la razón que se esconde tras la reencarnación? Vamos a utilizar una analogía procedente de la naturaleza.

Los ciclos de nuestra vida y de nuestro crecimiento pueden compararse a los de un nautilo de varias celdas, un molusco que vive en una concha cubierta de hermosa madreperla. Mientras vive en una celda va preparando la siguiente, sabiendo por instinto que la actual le quedará pequeña. Se traslada de una celda a otra y cuando muere abandona su concha y se disuelve hasta fundirse con el mar.

Las personas viven de un modo similar. Imagina que los cuatro cuerpos inferiores son la concha donde habita el alma, que le permite moverse en el mar de la conciencia. Pasa la vida en una «celda» (cuerpo) física, la cual le ofrece la oportunidad de llenar su ser con la bella luz del arco iris de la conciencia cósmica. Cuando el alma ha crecido más que la oportunidad contenida en la celda de ese cuerpo, se traslada al siguiente. Lo deseable es que en cada vida vaya creciendo e incrementando sucesivamente su luz y su percepción universal hasta que ya no necesite que la concha de ningún cuerpo la aloje. Es entonces cuando el alma sale hacia el mar cósmico y se funde con la esencia misma de la vida.

69. El caso de reencarnación de Shanti Devi ha sido mencionado en muchas publicaciones, entre ellas Ian Stevenson: *Children Who Remember Previous Lives: A Question of Reincarnation*. Charlottesville: University Press of Virginia, 1987. También en «The Evidence for Survival from Claimed Memories of Former Incarnations», Parte 1, *The Journal of the American Society for Psychical Research* 54 (abril, 1960).

Piensa en el cuerpo como un vehículo para la expresión del alma. Pues bien, los vehículos se gastan. Si tenemos un auto que se ha gastado, debemos comprar otro porque seguimos teniendo la necesidad de desplazarnos. Lo mismo ocurre con el cuerpo físico. Cuando se gasta, el alma toma otro nuevo para llegar adonde se dirige: de regreso al hogar de unión con la Presencia YO SOY. La reencarnación es en realidad así de sencilla: el tiempo pasa y el cuerpo se gasta antes de llegar a nuestro destino. Así que nos cambiamos de cuerpo, acumulamos más luz y, un día, llegamos a casa.

Los ciclos de la vida son continuos. Nuestra alma no comenzó cuando nacimos, ni acabará cuando muramos. Lo ideal es que consiga aumentar su luz en cada ciclo de experiencia acumulada. Necesita el tiempo necesario que le permita reunir la suficiente luz y alcanzar el nivel de madurez espiritual preciso para lograr la unión con la Presencia YO SOY. Y una sola vida simplemente no basta.

> —He tenido un sueño, una vida entera, ¡hace dos mil años! Una vida: la infancia, la niñez, la madurez [...]. He vivido una vida entera en ese viejo mundo [...].
>
> —Mientras ello ocurría, la muerte me sobrevino lo bastante pronto como para morir con un amor todavía vivo en mi corazón. [...]
>
> —Vivir otra vez —dijo suavemente Sunray.
>
> —Y amar otra vez —dijo Sarnac, posando la mano sobre la rodilla. [...]
>
> —Fue una vida —afirmó Sarnac—, y fue un sueño, un sueño de esta vida; y esta vida es también un sueño. Sueños dentro de sueños, sueños que contienen sueños, hasta que llegamos al final, quizás, al Soñador de todos los sueños, el Ser que es todos los seres. Nada es demasiado maravilloso para la vida ni demasiado bello.[70]
>
> H.G. WELLS

Además de hacerle falta para reunirse con su fuente divina, el buscador necesita tiempo para saldar el karma negativo que ha hecho. De manera que la ley del karma se cumple a través de la ley de la reencarnación. Ten presente que karma no es sinónimo de determinismo, sino que determina las circunstancias del nacimiento (los padres, la salud, las oportunidades de la vida, etc.), pero no las acciones. Es decir, propicia la situación, pero no la respuesta a esa situación. De modo que se produce una elección conforme al libre albedrío cuando el karma negativo regresa: o bien se salda y se paga la deuda, o no. La reencarnación ofrece al alma la oportunidad de aprender las lecciones que el karma de retorno, bueno y malo, trata de enseñar con rigurosa disciplina. Si, una vez que surge la oportunidad en una vida determinada, se escoge no saldar el karma, la reencarnación concede otra oportunidad.

La reencarnación es también un método cósmico de misericordia cuyos ciclos configuran el marco para que el alma alcance madurez espiritual. Le confiere tiempo para que pase por las distintas experiencias de ser hombre y mujer, rico y pobre, o de diferentes nacionalidades, entre

---

70. H.G. Wells: *The Dream* («El sueño»), citado en Eva Martin, comp.: *Reincarnation: The Ring of Return* («Reencarnación: El anillo del retorno»). New Hyde Park, Nueva York: University Books, 1963; págs. 280-81.

otras. Asimismo, le da la oportunidad de toparse con las innumerables circunstancias que le ayudarán a aprender sus lecciones kármicas a fin de que pueda avanzar.

La reencarnación le permite a uno sacar provecho de las anteriores cosechas de talentos y buenas obras. Permite al alma absorber poco a poco la conciencia divina hasta convertirse en la totalidad del Yo Crístico y proporciona el tiempo que el alma necesita para realizar su misión. Todo eso ha de hacer si quiere prepararse para la ascensión, terminar con las rondas de reencarnación y vivir en los reinos de conciencia superior.

El pasado constituye el prólogo

El alma ha viajado a lo largo de muchas vidas. Este momento preciso es la culminación de todas las anteriores vidas. La esencia del alma, provista de todos sus dones, talentos y atributos, es el resultado de lo que ha sembrado en su viaje por las encarnaciones pasadas. Así que, si bien no es necesario conocer los pormenores de esas vidas, ocurre a veces que el pasado se asoma furtivamente para ayudarnos a dar el siguiente paso en la evolución del alma. Ello ha sucedido a un número cada vez mayor de personas que han seguido diferentes formas de terapia, las cuales les han llevado a recordar vidas pasadas. Tales casos apuntan al hecho de que el pasado constituye el prólogo del futuro. A medida que se aprenden las lecciones del pasado, se va progresando en el sendero espiritual.

Investigaciones

Se han realizado extensas investigaciones sobre la reencarnación en las décadas más recientes; la mayoría, dirigidas por psicólogos y psiquiatras, muchos de los cuales se sirven de la hipnosis[71]. En un elevado número de casos, esos especialistas no emprendieron sus estudios con el fin de demostrar vidas pasadas, sino que se vieron forzados a tratar sobre el tema de la reencarnación debido a que, al explorar los problemas actuales de sus pacientes, fueron conducidos a las vidas pasadas de los mismos para hallar en ellas respuestas.

El Dr. Alexander Cannon expresa con elocuencia su reticencia a tratar sobre la reencarnación en su libro *The Power Within* («El poder interior»): «Durante años la teoría de la reencarnación me resultaba una pesadilla, e hice cuanto pude para refutarla, llegando incluso a discutir con los pacientes que entraban en estado de trance acerca de las tonterías que decían en tal estado. No obstante, con el transcurso de los años, uno tras otro me contaban la misma historia pese a las diferentes y variadas creencias asentadas en su conciencia. Ahora, después de haber investigado unos mil casos, he de admitir que ciertamente existe eso que llaman reencarnación».[72]

---

71. Los maestros ascendidos alertan seriamente a sus estudiantes sobre la práctica de la hipnosis o la autohipnosis. Cuando una persona está hipnotizada, de hecho entrega su libre albedrío y deja de estar dirigida y protegida por el Santo Ser Crístico. La hipnosis, además, abre la mente subconsciente a influencias externas que están fuera de su control, lo cual permite que patrones de hábitos, deseos, etc., subconscientes e inconscientes, del que hipnotiza se transfieran al subconsciente del hipnotizado, ello al margen de las buenas intenciones de ambos. Sin embargo, la hipnosis ha hecho valiosas aportaciones a la investigación sobre vidas pasadas, como se constata en los casos a que nos referimos en este punto. Si deseas descubrir tus vidas pasadas, no tienes ninguna necesidad de forzar el asunto. Los maestros enseñan que se te revelarán conforme a la necesidad que tu alma tenga de saber y comprender ciertos registros kármicos a medida que avances en el sendero espiritual

72. Alexander Cannon: *The Power Within* («El poder interior»), citado en Christopher M. Bache: *Lifecycles: Reincarnation and the Web of Life* («Ciclos de la vida: la reencarnación y el tejido de la vida»). Nueva York: Paragon House, 1990; pág. 45.

La Dra. Helen Wambach, autora de *Life Before Life* («Vida antes de la vida»), psicóloga clínica y experta en terapia de regresión, inició la investigación prenatal y sobre vidas pasadas. Practicó regresiones a cientos de personas a lo largo de su carrera y afirmó: «Al noventa por ciento de los individuos que vienen a mí en efecto se les cruzan imágenes de alguna vida anterior»[73]. Dirigió amplios estudios para demostrar o refutar la teoría de la reencarnación. Llegó a tener la certeza de *saber*, no solo de creer, que el proceso de la reencarnación es real. Advirtió lo siguiente: «Si te sientas en una tienda al lado de la carretera, y mil personas pasan por tu lado diciéndote que han cruzado un puente en Pennsylvania, tú te convences de la existencia de ese puente en Pennsylvania».[74]

Con un planteamiento de la reencarnación desde un ángulo distinto, el Dr. Ian Stevenson, psiquiatra y el principal investigador de recuerdos de vidas pasadas en niños, prefiere no practicar la hipnosis. En lugar de ello, entrevista a niños que han tenido recuerdos de vidas pasadas para luego intentar verificar de forma independiente los pormenores de su existencia previa. Tiene meticulosamente documentados 2.500 casos: ¡una hazaña impresionante!

Otro psiquiatra, en este caso de Toronto (Canadá), el Dr. Joel Whitton, ha abierto una nueva vía en la hipnoterapia sobre vidas pasadas. Profundiza en las experiencias de sus pacientes, no solo con respecto a vidas anteriores, sino también en relación al período entre vidas en la Tierra, al cual se refiere como «la intervida». Lo interesante de sus experiencias es que revelan cierta información que resulta muy parecida a lo que han contado quienes han tenido experiencias cercanas a la muerte.

El libro del Dr. Whitton, *Life Between Life* («Vida entre vidas»), del que es coautor Joe Fisher, está repleto de interesantes historias. A continuación veamos una de estas historias. Un individuo pasó por una serie de vidas en las que se dio la circunstancia de que mató a una persona que lo había tratado mal. En la actual, su padre lo trató con brutalidad cuando era niño. Así que creció odiándole, y ya siendo un adolescente, estuvo a punto de matarlo en un incidente concreto. Sin embargo, siguió una voz interior que le indicaba que no lo hiciera, de manera que, a partir de ese momento, su vida cambió por completo. Más tarde aprendió que en la *intervida* había escogido las difíciles circunstancias con que se encontró en esta vida para finalmente obtener el triunfo sobre el patrón kármico de sus acciones del pasado.[75]

Elementos clave de la reencarnación

Es digno de mención el hecho de que la información contenida en el libro *Life Between Life* («Vida entre vidas»), así como en algunos libros escritos por otros doctores, corrobora mediante experiencias personales de los pacientes gran parte de lo que los maestros ascendidos han enseñado sobre la reencarnación. A continuación te presentamos una lista de ciertos elementos comunes,

73. Helen Wambach: *Life Before Life* («Vida antes de la vida»). Nueva York: Bantam Books, 1979; contraportada.
74. Joel L. Whitton y Joe Fisher: *Life Between Life* («Vida entre vidas»). Nueva York: Warner Books, 1986; pág. 68.
75. Ibíd.; págs. 75-76.

extraídos de las investigaciones, que demuestran las explicaciones de los maestros acerca del viaje de nuestra alma.

- El karma es un maestro cuyas lecciones abarcan muchas vidas.

- Si suspendemos algún examen, este se repite vida tras vida hasta que lo aprobemos y aprendamos la lección.

- La razón por la cual abandonamos la intervida y volvemos a encarnar es que la vida física ofrece la mejor oportunidad para aumentar la conciencia de nuestra alma.

- Los talentos se desarrollan progresivamente de encarnación en encarnación.

- Dos lecciones fundamentales que hay que aprender en la vida son amor y perdón.

- Revisar la vida al final de cada encarnación contribuye a que el alma vea sus defectos y sus triunfos.

- Dos o más consejeros compasivos, a menudo un consejo compuesto por varios, trabajan con nosotros entre una vida y otra.

- Tras consultar con ellos, cada alma decide lo que necesita en la próxima vida y establece una duración para ella. Lo que el alma necesita no siempre coincide con lo que quiere.

- Con frecuencia escogemos circunstancias muy difíciles a fin de potenciar al máximo el crecimiento de nuestra alma en una vida determinada.

- Esos consejeros nos dan recomendaciones, pero la decisión final sobre las circunstancias de la siguiente vida es nuestra.

- Los planes para una vida pueden cambiar en función de lo que se elige mediante el libre albedrío en el transcurso de ella.

Uno de los elementos clave de esta lista que precisa de ulterior aclaración es la labor de ese comité de consejeros o Consejo juzgador que hemos mencionado. Los maestros ascendidos lo denominan el Consejo Kármico.

El Consejo Kármico: nuestros amorosos consejeros

El Consejo Kármico está compuesto por siete maestras y maestros ascendidos. Vairochana, un Buda de gran logro que nunca ha encarnado en la Tierra, se incorporó recientemente como octavo miembro. Se les conoce también con el nombre de Señores del Karma. El título «Señores» hace referencia a la amplia comprensión que poseen de la conciencia divina. Administran justicia en este sistema solar y asignan karma, misericordia y sentencia a cada alma.

Todas las almas se reúnen con el Consejo Kármico antes y después de cada encarnación en la Tierra. El alma puede entablar esa reunión con tres, cuatro o con los ocho miembros del Consejo Kármico, según sea la necesidad. Estos maestros trabajan con el alma antes de cada vida con objeto de ayudarle a decidir sabiamente su tarea y el karma con que se va a encontrar. Le asisten en la planificación de esa vida a fin de que pueda realizar el máximo progreso espiritual que sea posible en una determinada encarnación. Al llegar al final de esa vida, los Señores del Karma le ayudan, con gran compasión, a revisar su actuación.

La historia que se narra a continuación es solo un ejemplo de cómo los Señores del Karma trabajan con un alma para ayudarle a decidir el modo en que ha de resolver y saldar un karma concreto.

Historia de una deuda kármica

En el siglo IX nació una niña en el seno de una familia de pescadores de Dinamarca. Cuando se hizo mayor, un joven pescador se sintió atraído por ella, aunque no logró captar el interés de la muchacha. Se hizo un día a la mar con su padre en uno de esos largos viajes para pescar, y al regresar, se dirigió a casa de ella, lleno de deseo y lujuria. La joven se hallaba preparando unos vegetales para la cena y tenía en la mano un cuchillo de trinchar. Él le hizo insinuaciones. Ella le rechazó, y acto seguido él la violó. Ante semejante agravio por ese acto, la muchacha lo mató con el cuchillo.

Lo que sigue es una descripción de las consecuencias kármicas de los actos de la mujer, tal como reveló Elizabeth Clare Prophet y los maestros ascendidos. Por supuesto, también hubo consecuencias kármicas para el hombre; sin embargo, los pormenores de su karma no nos han sido revelados.

Después de esa vida, ella fue ante los Señores del Karma y vio la escena con claridad. Se arrodilló, sollozando, y dijo: «Haré lo que sea para saldar ese karma. Serviré a esa persona el tiempo que hagáis que le sirva. Permitidme que le devuelva la vida que le quité». Los Señores del Karma accedieron y le asignaron unas cuantas encarnaciones en las que pudiera prestarle servicio.

Nació de nuevo hacia el año 900 d. C., esta vez en una familia pobre de Japón. La forzaron a casarse con un hombre al que no amaba: el mismo al que mató en la anterior vida. Él quedó lisiado y ambos vivieron en una situación de extrema pobreza, sin apenas nada para comer. Ella ejerció el único comercio que conocía. Se convirtió en prostituta, lo cual implicaba el deber de dar voluntariamente su cuerpo a muchos hombres, con la finalidad de servir al alma a la que había dado muerte cuando él la había violado. Ese servicio contribuyó a que expiara el karma de asesinarle, pero no lo zanjó totalmente.

Volvió a nacer en Japón al final de ese siglo, y se casó con la misma alma otra vez. En esta ocasión él era taxidermista, lo que le permitió mantener a su familia mientras ella le servía como esposa. Incluso al final de esa vida, el karma del asesinato todavía seguía pendiente de saldar.

Tras muchas encarnaciones, nació en el siglo XX en los Estados Unidos. Y volvió a encontrarse con ese hombre. Él dirigía uno de los grupos de la iglesia a la que ella pertenecía. Sus almas se reconocieron mutuamente y su voz interior le indicó que tenía que servir a ese individuo. Cuando preguntó cómo, la respuesta fue en el grupo de la iglesia. Así que siguió la sugerencia de la voz interior en este como en otros casos, y al poco tiempo se casaron. Abandonó la universidad para mantenerle y servirle mientras él terminaba sus estudios de Derecho. Tan sólo diez meses después, esa misma voz interior la guió a avanzar en el sendero espiritual. Su marido replicó que debía elegir entre él y el sendero, a lo que ella respondió que la elección estaba clara: el sendero espiritual.

Transcurrieron muchos días antes de que la mujer se encontrara cierta noche preparando la cena en el pequeño apartamento donde vivían, cortando hortalizas con un largo cuchillo. Él se hallaba en el pasillo, e inició una discusión. Cuchillo en mano, ella se dirigió hacia el pasillo, enzarzándose en la discusión. A continuación miró el cuchillo y lo miró a él. Dejó caer el cuchillo, regresó a la cocina y terminó de preparar la cena. Había vuelto al punto de origen de la situación original. Cuando dejó caer el cuchillo pasó la prueba, saldó totalmente el karma y la relación se acabó.

Esta es la historia verídica de una estudiante muy devota de los maestros ascendidos. El asesinato fue un oscuro incidente aislado en el historial de un alma muy amorosa. Sin embargo, es un buen ejemplo de la conexión inexorable entre el karma y la reencarnación.

Todos hemos hecho karma bueno y malo, y todos hemos vivido encarnaciones que nos han hecho retroceder espiritualmente. Si lo aceptamos y nos responsabilizamos de quiénes somos y cómo actuamos, conseguiremos ser mucho más amorosos y compasivos y menos críticos con nosotros mismos y con los demás. Eso constituye un gran paso adelante en el viaje del alma hacia la integridad.

El deseo: la reencarnación nos tiende una trampa

¿Hay alguien a quien no le resulte familiar el poder del deseo? En el tercer capítulo tuvimos ocasión de ver lo difícil que es dominar el cuerpo emocional o de los deseos. El deseo se relaciona directamente con el karma y la reencarnación, lo cual explica por qué las almas reencarnan una y otra vez. En las enseñanzas del budismo encontramos una de las más claras explicaciones de este tema.

Enseñanzas budistas sobre el deseo

Buda Gautama

Después de alcanzar la iluminación, el Buda Gautama enseñó lo que se conoce como la Primera Noble Verdad: que la vida es sufrimiento. Se refería al sufrimiento en el sentido de hallarse desalineado con respecto a la ley universal. También proclamó que la causa del sufrimiento es el deseo: la Segunda Noble Verdad. Ambas verdades se entrelazan.

Gautama no censuró todos los tipos de deseo sino el deseo desmesurado o erróneo, es decir, un deseo egocéntrico o egoísta. El deseo principal del alma es reunirse con el Yo Superior. Quien se identifique con el yo humano sufrirá porque se encuentra desalineado con relación a la meta, que consiste en la reunión final. Como ejemplos de deseo desmesurado o egoísta cabe citar el impulso hacia el engrandecimiento personal, la búsqueda avariciosa de placer y éxito, o la adicción a un hábito o sustancia perjudicial. Tales deseos generan sufrimiento porque desarrollan el yo humano y apartan al alma de su sendero.

El budismo enseña que los deseos y las pasiones excesivos y desmesurados son la causa de que las personas reencarnen una y otra vez. Hasta que una persona no se libere del deseo, no podrá liberarse de la rueda del renacimiento. Los textos budistas conservan las siguientes citas de Gautama sobre esta materia:

> Cuando [alguien] no es capaz de percibir las calamidades que son consecuencia de la satisfacción sensual y de su fructificación, y, hallándose sujeto a la impresión de que la sensualidad es felicidad, vive cautivo de sus pasiones, empieza entonces a hacer karma demeritorio.[76]

> Cuando un hombre camina de la mano de la sed de deseo ardiente, vagará de nacimiento en nacimiento, ahora aquí, ahora allá y nunca con un final a la vista [...]. El impulso «quiero» y el impulso «tendré»: ¡piérdelos! Ahí es donde la mayoría de las personas quedan atascadas.[77]

> Existe, al adquirir las cosas, un afán, un aferrarse, un agarre. Debes perderlo. Debes perderlo del todo, arriba, abajo, por fuera y por dentro. No importa aquello que aferres: cuando un hombre se agarra, Mara [la manifestación de la ilusión y el mal] permanece a su lado. Por tanto, los monjes, que se dan cuenta de ello, no deberían aferrar nada.[78]

> Cuando una persona ha evaluado el mundo hasta el fondo, [...] cuando no haya en el mundo nada que se erija en un resquicio de agitación, entonces se habrá convertido en una persona libre de humo, de temblores y del hambre del deseo. Se habrá calmado. Habrá superado hacerse viejo; habrá superado nacer.[79]

Para expresarlo de un modo sencillo, un alma está atada a la Tierra mientras tenga deseos desmesurados y el anhelo de que se cumplan. El cumplimiento de ese tipo de deseos precipita karma negativo. De modo que la conexión del deseo con la reencarnación es doble. Por un lado el alma reencarna para saciar sus deseos y, por otro, para saldar el karma negativo en que ha incurrido al manifestar deseos del pasado. A fin de que el alma pueda terminar con la rueda del renacimiento y lograr su liberación, Gautama ofrece un consejo práctico: liberarse del deseo desmesurado o erróneo.

Deseos excesivos u obsesivos

No todos los deseos son desmesurados. Algunos tipos de deseos conducen a nuestra alma hacia la integridad divina. Por ejemplo, sentir pasión por realizar nuestra misión es buena señal. Por otro lado, es importante darse cuenta de si un deseo se ha vuelto excesivo porque ello puede indicar que estás en un apuro. Hay quien no reconoce que anhela algo de forma obsesiva. Distinguir entre los tipos de motivación puede ser engañoso, ya que el deseo es una zona gris comparado con el llano reconocimiento de acciones buenas o malas. Una persona podría decirse: «Yo debería tener tal cosa. Debería tener tal otra. Es lo normal. Es lo que todo el mundo tiene. Si quiero hacer tal cosa, debería poder hacerlo».

Para saber si algún deseo que tenemos en particular es obsesivo, observa lo apegado que estás a su cumplimiento. Si no somos capaces de dejarlo ir, significa que es más que un deseo pasajero:

76. Henry Clarke Warren, trad.: *Buddhism in Translations*. 1896; reimpr., Nueva York: Atheneum, 1969; pág. 181.
77. H. Saddhatissa, trad.: *The Sutta-Nipata*, 1985; reimpr., Londres: Curzon Press, 1987; pág. 87.
78. Ibíd., pág. 127.
79. Ibíd., pág. 120.

se trata de apego. La palabra apego es clave, ya que el apego a personas, lugares, circunstancias y cosas, hace que el buscador permanezca atado a este plano de existencia. En consecuencia, las almas reencarnan una y otra vez, atraídas a los escenarios de los deseos no cumplidos.

Lo cierto es que algunos deseos pueden manipularnos delante de nuestras propias narices. Un ejemplo común de ello es la adicción al alcohol, a las drogas, al tabaco, a la comida o a cualquier cosa respecto de la cual el ansia gobierna la vida de un individuo. Existen otros ejemplos quizá más sutiles pero no por ello menos comunes, tales como un deseo imperioso de tener buen aspecto, de ser más influyente o más valorado. Cuando se observan tales deseos conviene tomar medidas para quitárselos de encima. La existencia de organizaciones como Alcohólicos Anónimos muestra que la sociedad también reconoce y apoya las acciones positivas para liberarse de tales deseos desmedidos.

Claves para superar los deseos desmesurados

Te presentamos aquí dos sugerencias para reconocer y deshacerte de los deseos desmesurados y de los apegos.

> *Amados, se puede renunciar a todos los deseos humanos que podáis tener. Y cuando se renuncia a ellos, el deseo divino de Dios llega a vuestra vida. Por cada deseo humano existe uno divino que es legítimo, que os llenará y os dará lo que creísteis que os daría el deseo humano pero que jamás pudisteis realmente tener o mantener, y mucho, mucho más. Pero hace falta valor.*[80]
>
> MAESTRO ASCENDIDO SAINT GERMAIN

1ª) Haz de la conciencia divina tu máxima prioridad.

- Considera tus deseos a la luz del primer mandamiento que Dios dio a Moisés: «Yo soy el Señor tu Dios [...]. No tendrás dioses ajenos delante de mí»[81]. Pregúntate: «¿A quiénes hago mis 'dioses'?». ¿Al dinero? ¿A mi trabajo? ¿A mi cónyuge? ¿Al éxito? ¿Al poder? ¿A tener buen aspecto? ¿A las películas? Y la lista podría continuar. Este mandamiento sirve para recordarte cuál es tu divinidad innata. Los deseos que te ayuden a ser las manos y los pies de tu Yo Superior son deseos apropiados.

- Es igualmente conveniente reflexionar sobre las siguientes palabras de Jesús: «Buscad primeramente el reino de Dios y su justicia, y todas estas cosas os serán añadidas»[82]. Los maestros ascendidos han enseñado que el significado verdadero de la palabra *rey* es «clave para la encarnación de Dios»[83] y que el Santo Ser Crístico es el rey de nuestro ser, aquel que deseamos que gobierne nuestra vida. De modo que puedes ponderar si tus deseos están o no en sintonía con la justicia de tu Yo Crístico y, en última instancia, te están conduciendo hacia el reino de la conciencia superior. Los deseos son lícitos si no te apartan del viaje del alma, antes al contrario, te llevan a ese destino.

---

80. *Pearls of Wisdom*, vol. 27, nº 49, pág. 422.
81. Éxodo 20: 2, 3
82. Mateo 6:33
83. Según el original en inglés, *king* («rey») proviene de **key** *to the* **in***carnation of* **God** («clave para la encarnación de Dios»). [N. de la T.]

Si tu primer deseo es tener la plenitud de la conciencia crística, todas tus demás necesidades serán automáticamente satisfechas.

2ª) Recita decretos de llama violeta y afirmaciones.

- La llama violeta no solo ayuda a eliminar el karma negativo sino que también sirve para transmutar el deseo desmesurado. Ambos aspectos son fundamentales para que el alma logre la unión con la Divinidad y se libere de la ronda de renacimiento.

Ejercicio: Libérate de los deseos desmesurados

Observar tus deseos puede resultar práctico y útil. Vas a poder decidir si un deseo determinado te está impulsando hacia arriba o por el contrario te mantiene identificado con la conciencia humana. Cada vez que te liberes de un deseo desmesurado, darás un paso más que te acercará a la liberación del alma. La repetición periódica de este ejercicio puede ayudarte a mantener los deseos en la perspectiva adecuada.

Primera parte: Echa un vistazo de tus deseos

1. Dedica un tiempo a reflexionar sobre tus distintos deseos en la vida, y escribe esos pensamientos en tu diario. Te será de ayuda escribir o llenar mentalmente los espacios en blanco de la siguiente frase: «Yo deseo _____ a fin de _____.»

   Por ejemplo, podrías decir:

   Deseo comer a fin de tener un cuerpo sano.

   Deseo comer a fin de disfrutar del sabor de la comida.

   Otro ejemplo:

   Deseo tener dinero a fin de satisfacer las necesidades de mi familia.

   Deseo tener dinero a fin de poder vivir con lujo.

   Frases como estas te harán ver si ciertos deseos contribuyen a que tu alma cumpla con su sendero, o si son desmesurados y se basan en apegos o egoísmo. Para empezar, piensa en dinero, comida, sexo, poder, fama y buena apariencia. Examina también los deseos de armonía, paz, amor, servicio al prójimo, etc. Mientras completas la lista, deja que los pensamientos acudan libremente y no juzgues lo que estás escribiendo.

2. Continúa hasta que hayas agotado tu lista de deseos. A continuación repásala y decide, en su caso, si alguno de estos deseos es desmesurado o ha despertado alguna sensación de agarre o apego dentro de ti. Puedes volver a la sección «Claves para superar los deseos desmesurados» si precisas ayuda para tomar esta decisión.

Segunda parte: medita en la llama violeta

1. Empieza la meditación con la siguiente oración:

    Amada Presencia YO SOY **y amado Santo Ser Crístico, os pido por favor que me liberéis del apego a esos deseos que me separan de vosotros, sobre todo** ——————(En el espacio en blanco, nombra los deseos desmesurados que han aflorado en la primera parte.)——————

Alma en el cuerpo físico

2. Ahora visualízate igual que la figura inferior de la gráfica de tu Yo Divino, rodeado o rodeada de llama violeta. La llama violeta puede ayudarte a eliminar todo apego a esos deseos. Cuando recites el siguiente decreto, imagina la llama violeta purificando tu conciencia y disolviendo poco a poco esos deseos. Invoca con alegría la acción de esta llama al recitar el siguiente decreto tres veces. Puesto que este decreto coloca sobre ti el tubo de luz, puedes hacerlo de pie si lo deseas.

> **Amada y radiante Presencia** YO SOY,
> **séllame ahora en tu tubo de luz**
> **de llama brillante maestra ascendida**
> **ahora invocada en el nombre de Dios.**
> **Que mantenga libre mi templo aquí**
> **de toda discordia enviada a mí.**
>
> YO SOY **quien invoca el fuego violeta,**
> **para que arda y transmute todo deseo,**
> **persistiendo en nombre de la libertad,**
> **hasta que yo me una a la llama violeta.**

3. Termina la meditación con la siguiente oración:

    Amada Presencia YO SOY **y amado Santo Ser Crístico, ayúdame a estar siempre en sintonía con tu conciencia y a avanzar constantemente hacia la unión contigo. Libérame de todos los deseos erróneos y sustitúyelos por el deseo que tengo del Ser Divino. Que se haga conforme a la voluntad de Dios. Amén.**

Moraleja de la historia

Quizá recordemos vidas pasadas o quizá no. Quizá creamos en la reencarnación o quizá no. Ninguna de estas premisas afecta a su validez. Los maestros ascendidos consideran la creencia en la reencarnación tan importante como para ser «la piedra angular en el arco del ser». Lo que quieren decir es que sin el entendimiento y la aceptación de la verdad de la reencarnación no podemos realmente comprender el sendero de evolución de nuestra alma hacia la unión con nuestra Presencia YO SOY: la razón por la cual existimos.

La reencarnación es la puerta de entrada a la realización de uno mismo en el sentido más elevado de la palabra. Cuando comprendamos correctamente y aceptemos la realidad del proceso de la reencarnación, seremos capaces de desarrollar un sentido de continuidad de la vida: pasado, presente y futuro. Estaremos mejor equipados para ver tras la superficie de las circunstancias del presente las subyacentes causas kármicas de nuestra historia que se extienden a lo largo de los siglos. Comenzaremos a entender que las historias de nuestras vidas están conectadas y que hay en ellas una moraleja.

La moraleja de la historia es que podemos convertirnos en uno con nuestro Yo Superior. Podemos percibir la plenitud de la conciencia divina allí donde nos encontremos. Sin embargo, hemos de esforzarnos por hacer lo mejor posible. En el esfuerzo, casi podremos oír a las huestes del cielo animando a cada uno de nosotros: ¡Sigue adelante hasta que lo consigas! ¡Te *vas a* graduar en la escuela de la Tierra! ¡*Vas a* realizar la razón de ser de tu alma! ¡*Vas a* hacer la ascensión!

«*No te preocupes si no crees en la reencarnación. En la siguiente vida tendrás una segunda oportunidad.*»

ANÓNIMO

Conoce al Arcángel Miguel

La respuesta del cielo a nuestras súplicas sinceras a menudo viene bajo las alas de los ángeles. El arcángel Miguel es uno de estos maravillosos seres de luz. Podemos llamarle rápidamente para que nos preste ayuda en momentos de necesidad. Él, por su parte, nos protegerá mientras nos ocupamos cada día de nuestro trabajo físico y espiritual. La ayuda del Arcángel Miguel está a un paso: ¿por qué no pedírselo?

Pide ayuda al Arcángel Miguel

Arcángel Miguel

Casi todo el mundo ha oído historias de ángeles. Ellos apartan a las personas de los bordes de precipicios y de las vías de trenes en marcha. Alertan a la gente en situaciones peligrosas. También protegen a quienes viven en barrios inseguros.

Dios creó a los ángeles para que nos prestaran servicio y asistencia. Responder a nuestros ruegos es su razón de ser. Aunque vivamos en el mundo material, tenemos un vínculo especial con Dios a través de Sus ángeles. Además, estamos provistos de una chispa divina que nos permite pedirles ayuda ¡y esperar resultados! Los ángeles están literalmente esperando a que les encarguemos tareas, pues hay una regla que raras veces vulneran. No intervienen en nuestra vida a menos que se lo pidamos, lo cual se debe a que tenemos libre albedrío.

Uno de los servidores de la luz a que nos referimos es el Arcángel Miguel, cuyo nombre significa «el que es como Dios». El Arcángel Miguel es el ángel mayor y más venerado en las tradiciones judía, cristiana e islámica. Sirve en el primer rayo del espectro espiritual y le pedimos sobre todo protección. El color en el que pensamos al llamarle es el del primer rayo: un azul vibrante.

Podemos pedir al Arcángel Miguel cualquier tipo de asistencia práctica. Él es capaz de mantenernos alejados de peligros físicos y espirituales: desde accidentes de tráfico hasta caer víctimas de hábitos perjudiciales. Puede también ayudarnos a liberarnos del temor y la duda de uno mismo, así como a fortalecer la fe y perfeccionar el alma y cumplir con nuestra misión.

Cualquiera puede obtener algún beneficio al llamar al Arcángel Miguel. Para hacerlo basta con palabras tan simples como: «Arcángel Miguel, ¡ayúdame, ayúdame, ayúdame!». Este tipo de súplica rápida es especialmente conveniente en accidentes automovilísticos. Cuando la empleamos, el Arcángel Miguel en seguida puede conseguir la ayuda de un transeúnte en el supuesto de problemas que surjan con el auto. Él ha contribuido a salvar muchas vidas en colisiones.

Abundan las historias de intercesión del Arcángel Miguel. Tomemos como ejemplo a Álex, que perdió el control de su auto en una carretera helada. Mientras se deslizaba hacia un precipicio, llamó al Arcángel Miguel. El vehículo recuperó rápidamente su posición volviendo al centro de la calzada. Según sus propias palabras, «fue casi como si lo hubieran empujado con la mano».

Existe un poderoso decreto al arcángel Miguel llamado «Protección de viaje», que se ha diseñado especialmente para ayudarnos mientras viajamos. Puede recitarse en cualquier momento en que entremos a nuestro vehículo para protegernos mientras nos desplazamos de un lugar a otro, o mientras caminamos, montamos en bicicleta o viajamos en avión. Es asimismo conveniente recitarlo por la mañana, después de colocarse el tubo de luz, a modo de protección añadida contra accidentes o incidentes negativos de cualquier clase.

En el decreto «Protección de viaje» nos dirigimos a este arcángel por el nombre «San Miguel». Los maestros a veces se refieren a él y a otros seres celestiales como «San» o «Señor» por respeto al grado elevado de conciencia que han conseguido.

Ejercita la Palabra hablada: Protégete mientras viajas

Con el decreto «Protección de viaje» puedes hacer pleno uso de tu capacidad de visualizar. Funciona con mayor eficacia cuando eres capaz de visualizar al Arcángel Miguel en los lugares físicos tal como se indica: delante de ti, detrás de ti, a tu derecha, a tu izquierda, encima de ti, debajo de tus pies y dondequiera que vayas.

Si no te has ejercitado antes con la visualización, o si no te surge con facilidad, visualizar las distintas posiciones puede ser todo un desafío. Una técnica que te puede ayudar consiste en extender un brazo hacia las distintas posiciones indicadas. De modo que cuando dices «San Miguel delante», extiendes el brazo derecho hacia adelante. Luego al decir «San Miguel detrás», te giras para que el brazo se estire hacia atrás, y así sucesivamente hacia las demás posiciones. Esta técnica es muy eficaz cuando se enseña a los niños a recitar este decreto. Ellos pueden beneficiarse enormemente al pedir la protección del Arcángel Miguel antes de salir a jugar o de ir a la escuela, y les encantan los movimientos físicos.

1. Busca un lugar tranquilo y quédate de pie o siéntate cómodamente.

2. Concentra la atención en el corazón. Siente un intenso amor por alguien cercano a ti recordando algún acontecimiento o lugar favorito. Mantén ese sentimiento durante unos momentos.

3. Mira la imagen del Arcángel Miguel. Luego cierra los ojos y ve la imagen en tu mente. Visualiza al Arcángel Miguel en las posiciones mencionadas por el decreto mientras dices las palabras, ayudándote, si lo deseas, con el movimiento de los brazos.

4. Recita la parte principal del decreto que sigue a continuación tres veces.

Protección de viaje

(Preámbulo)

En el nombre de la amada poderosa victoriosa Presencia de Dios, YO SOY en mí, y de mi muy amado Santo Ser Crístico, Santos Seres Crísticos de toda la humanidad, amado Arcángel Miguel, yo decreto:

(Parte principal del decreto)

¡San Miguel delante, San Miguel detrás,
San Miguel a la derecha, San Miguel a la izquierda,
San Miguel arriba, San Miguel abajo,
San Miguel, San Miguel dondequiera que voy!

¡YO SOY su amor protegiendo aquí!
¡YO SOY su amor protegiendo aquí!
¡YO SOY su amor protegiendo aquí!

(Cierre)

¡Y con plena fe acepto conscientemente que esto se manifieste, se manifieste, se manifieste! (recítese tres veces), ¡aquí y ahora mismo con pleno Poder, eternamente sostenido, omnipotentemente activo, siempre expandiéndose y abarcando el mundo hasta que todos hayan ascendido completamente en la luz y sean libres!

¡Amado YO SOY! ¡Amado YO SOY! ¡Amado YO SOY!

Arcángel Miguel

CAPÍTULO 7

El destino final

Ascender de regreso al Espíritu

La ascensión es literalmente la etapa final del proceso de convertirse en un ser ascendido. Los maestros ascendidos no solo exponen los requisitos para la unión suprema con el ser Divino, sino que también han dejado huellas victoriosas de sus vidas para que las sigamos. Para identificar mejor cómo se relaciona la ascensión con nuestro sendero espiritual, es conveniente entender los pasos en el sendero que conduce a esta meta gloriosa: de qué manera el alma se une con el Santo Ser Crístico, los requisitos principales para hacer la ascensión y los rasgos distintivos del ritual en cuestión.

> *Todo el esfuerzo que nuestra Alma hace es para convertirse en Dios. Este esfuerzo le es al hombre tan natural como lo es a los pájaros volar.*[84]
>
> MARSILIO FICINO (FILÓSOFO Y TEÓLOGO DEL SIGLO XIV)

La meta de la vida: la ascensión

Imagínate a ti mismo con una apariencia de eterna juventud, ya sin tener que preocuparte más de la edad, la enfermedad o la mala salud. Tu aspecto es el de un joven y alegre adulto. Eres capaz de manifestar objetos físicos por medio del poder de tu voluntad. Viajas de un lugar a otro solo con pensarlo. Te apareces en distintos sitios a la vez. Estás hermanado con todos los seres del universo. Eres un maestro ascendido o una maestra ascendida: un individuo que ha seguido con éxito un sendero de evolución espiritual, ha conseguido dominar tiempo y espacio y se ha unido a su Presencia YO SOY.

> *¡He aquí, YO SOY el que está en todas partes en la conciencia de Dios!*[85]
>
> MAESTRO ASCENDIDO LANELLO

El sendero espiritual aquí en la Tierra conduce a la meta final consistente en la ascensión. Al principio éramos uno con nuestra Presencia YO SOY en los reinos superiores del mundo celestial. Descendimos para un propósito y una misión, y se nos dotó de libre albedrío. A lo largo del viaje cometimos errores, olvidamos quiénes éramos y de dónde veníamos. Pero poco a poco estamos

---

84. Marsilio Ficino, citado en Paul Oskar Kristeller: *The Philosophy of Marsilio Ficino*. Trad. Virginia Conant. Nueva York: Columbia University Press, 1943.
85. *Pearls of Wisdom*, vol. 16, nº 31, pág. 131.

trazando el camino de regreso a la reunión con Dios. La ascensión es nuestro pasaje de vuelta al hogar: nuestra entrada al cielo para siempre.

La ascensión es una aceleración espiritual de conciencia que tiene lugar al término natural de la última vida de una persona en la Tierra. Representa el momento, en la evolución del alma, en el que esta alcanza la inmortalidad. Por medio de la ascensión se funde con la Presencia YO SOY y regresa al Dios Padre-Madre, libre de las rondas de karma y reencarnación. El proceso de volver a la fuente ha sido reconocido por las principales religiones del mundo, aunque la terminología usada para describirlo pueda diferir.

Por ejemplo, un texto hindú se refiere al retorno del alma mediante la metáfora del fuego. El Upanishad Mundaka explica: «Esta es la verdad: Así como de un fuego ardiendo salen miles de chispas, también del Creador infinidad de seres toman la vida y a Él regresan de nuevo»[86]. El taoísmo se refiere al Tao eterno como la madre del mundo. Lao Tse dijo que volvemos a ella al concluir nuestra existencia terrenal:

> El mundo tiene un principio
> que es la madre del mundo.
> Una vez que has encontrado a la madre,
> ya conoces al hijo.
> Una vez que conoces al hijo,
> regresas para preservar a la madre,
> sin perecer aunque muera el cuerpo. [...]
> Usando el brillante resplandor,
> regresas de nuevo a la luz,
> sin dejar que nada te hiera.
> A eso se le llama entrar en lo eterno.[87]

La unión con el Santo Ser Crístico y con la Presencia YO SOY

A medida que prospera en el sendero espiritual, el buscador se acerca cada vez más a su Santo Ser Crístico. Mediante un incremento gradual de conciencia superior y autotrascendencia, podrá conseguir con el tiempo lo que se conoce como la unión con el Yo Crístico, la cual precede a la ascensión, cuando el alma se une a la Presencia YO SOY. El proceso de unión se denomina el «matrimonio alquímico», porque a través de él el buscador se convierte en uno con el Cristo. Dicho matrimonio significa que no hay separación entre el alma y el Santo Ser Crístico: los dos se han unido. Cuando ello ocurre, el estudiante camina por la Tierra como Ser Crístico o ungido.

En la gráfica de tu Yo Divino, justo encima de la cabeza del Cristo, hay una paloma que desciende de la Presencia YO SOY, y que representa la esencia del amor, es decir, el Espíritu Santo, concediendo las gracias del Dios Padre-Madre al Yo Crístico y al alma cuando esta se ha unido al Santo Ser Crístico. Al fundirse la conciencia del alma con la de su Yo Crístico también se une a la conciencia Crística universal.

86. Juan Mascaró, trad.: *The Upanishads*. Londres: Penguin Books, 1965; pág. 77.
87. Thomas Cleary, trad. y ed.: *Vitality, Energy, Spirit: A Taoist Sourcebook*. Boston: Shambhala Publications, 1991; pág. 15.

Unirse con el Santo Ser Crístico significa que nuestra alma ha elevado la vibración de su conciencia al nivel de la conciencia crística. A causa de este nuevo encaje, nuestra conciencia crística deja de estar encima de nosotros —en vibración— tal como aparece en la gráfica, y desciende a la materia ocupando su cuerpo. Cabe interpretar la gráfica como un diagrama cronológico de uno mismo: pasado, presente y futuro. Un día somos el yo inferior. En algún momento futuro nos convertimos en uno con nuestro Yo Crístico. Y, algún día, más adelante, nos encontraremos en los brazos de nuestra Presencia YO SOY por medio del ritual de la ascensión.

Estar fusionado con el Santo Ser Crístico le hace a uno ser libre para pensar, actuar y afrontar los desafíos diarios con la perspectiva del mediador divino. El Santo Ser Crístico nos dota de la capacidad de amar al prójimo de un modo más puro y completo. La vida en la Tierra llega a acercarse mucho más a la realidad divina: «Como es arriba es abajo». Los maestros ascendidos enseñan que, cuanto más nos acercamos a Dios, más claramente se define nuestra individualidad. Las cualidades y destrezas tan específicas que hacen a una persona única se han desarrollado a lo largo de muchas vidas. La unión con el Santo Ser Crístico permite manifestar con más plenitud la personalidad divina que el alma creó mediante el libre albedrío.

Gráfica de Tu Yo Divino

Ascendemos todos los días

El proceso de la ascensión sigue el curso natural de la evolución espiritual. El Maestro Ascendido Lanello nos advierte: «¡Ascendéis todos los días!»[88]. Cada día la vida pone a prueba al buscador. Todos los pensamientos, sentimientos y obras del presente y de vidas pasadas cuentan a favor o en contra de la ascensión. Al ir dando pasos de forma progresiva en el sendero espiritual, uno finalmente halla el camino de regreso al corazón de Dios y entra en la vida eterna. Al final, el éxito depende del individuo. El Maestro Ascendido Serapis Bey expresa con acierto tal idea: «Queridos, debéis de esperar a que, como el súbito descenso de una gran ave del paraíso, el cielo baje hasta vosotros y os eleve instantáneamente a la luz. Cada día tejéis un hilo de sustancia de luz en dirección al corazón de vuestra Presencia gracias a la lanzadera de vuestra atención. Cada hilo de luz refuerza el ancla que hay en el otro lado conduciéndoos así a un estado de conciencia en el que Dios puede usaros más como eficaz instrumento para el bien».[89]

El proceso de la ascensión se parece a la subida a una pirámide. En Egipto y algunas zonas de México, entre ellas la península del Yucatán, uno puede pasarse días escalando las ruinas de las pirámides, de forma que cada peldaño le acerca más a la cima. La

88. *Pearls of Wisdom*, vol. 35, nº 10, pág. 120.
89. Serapis Bey: *Dossier on the Ascension: the Story of the Soul´s Acceleration into Higher Consciousness on the Path of Initiation* (Actas de la ascensión: historia de la aceleración del alma a una conciencia superior en el sendero de iniciación) (Gardiner: Summit University Press, 1978), págs. 166-67.

pirámide que escalamos a diario no está hecha de piedra sino de luz, o sea, de pura esencia de la divinidad. Es la pirámide de la ascensión. Los pensamientos, sentimientos y acciones constituyen los peldaños mediante los cuales subimos hasta la cima. Al acercarnos a la cúspide, los peldaños se hacen cada vez más estrechos y el escalador debe ser cada vez más cuidadoso al acercarse a la meta.

No se suben todos los escalones de una sola vez, sino uno tras otro. La vida no siempre es un proceso continuo de ascenso. Es decir, no todos los días se escala la pirámide sin parar. Quizás haya una pausa para tomar aliento. O puede ocurrir que el escalador tropiece y resbale, retrocediendo uno o dos escalones. En ocasiones, cabe incluso que sienta que no avanza en absoluto. Sin embargo, reanuda el avance y sigue adelante. El ascenso firme conducirá al aspirante, con el tiempo, hacia la maravillosa unión divina con el Espíritu.

Aunque el progreso pueda a veces parecer intangible, es bueno recordar que estamos en la Tierra porque nuestro karma dicta que este es el mejor lugar donde podemos estar. Conviene considerarse un ser no ascendido que se esfuerza por hacer la ascensión. El mensajero Mark Prophet señaló que debemos reconocer que si Dios quisiera tenernos en el cielo en este preciso instante, estaríamos allí y no aquí. Estamos en la Tierra porque el lugar más práctico donde podemos estar en nuestro actual estado evolutivo es en un cuerpo físico. Tenemos lecciones que aprender. Tenemos responsabilidades espirituales y desafíos materiales que dominar. Y debemos realizar nuestra misión como Cristo realizó la suya.

> *La ascensión es el cumplimiento de la voluntad de Dios para todo hombre.*[90]
>
> MAESTRO ASCENDIDO SERAPIS BEY

Maestros ascendidos

Cuando te conviertes en un maestro ascendido, pasas de la dimensión de tiempo y espacio al infinito. Después de la ascensión, tienes libertad para moverte por las dimensiones más elevadas y crear, aprender y amar como nunca antes lo habías hecho. La ascensión señala asimismo el cese de la necesidad de reencarnar. Cuando asciendes, todo un mundo nuevo de existencia espiritual se abre ante ti. Puedes optar por realizar servicio cósmico en las octavas de los maestros ascendidos o bien enseñar y ayudar a la gente de la Tierra.

Muchos personajes históricos han pasado por la ascensión. Grandes avatares, así como gente de la calle, han alcanzado esta meta final de la vida. Jesucristo demostró el proceso de la ascensión de modo que todos pudieran seguir su ejemplo. Su ascensión está narrada en el Evangelio según

90. Mark L. Prophet y Elizabeth Clare Prophet: *Señores de los siete rayos: espejo de conciencia*. Madrid: Arkano Books, 1998.

San Lucas: «Y los sacó fuera hasta Betania, y alzando sus manos, les bendijo. Y acontenció que bendiciéndolos se separó de ellos, y fue llevado arriba al cielo».[91]

La Biblia menciona a otras personas que han ascendido a la luz. Entre ellas figura Enoc, quien «caminó con Dios, y desapareció, porque le llevó Dios»[92]. Elías, el profeta, «subió al cielo en un torbellino», habiendo sido separado de Eliseo por un carro y caballos de fuego[93]. Entre los muchos maestros ascendidos de la tradición judeocristiana de cuya ascensión no hay constancia histórica cabe mencionar a Melquisedec; María, la madre de Jesús; Juan, discípulo de Jesús; Santa Teresa de Lisieux y el Padre Pío.

Un gran número de almas de Oriente también han ascendido. Tal es el caso de Krishna, Zaratustra y el Buda Gautama. Mientras estuvieron encarnados, estos destacables instructores fundaron grandes religiones basadas en verdades eternas. Millones y millones de personas siguen a esos maestros ascendidos como célebres líderes espirituales, aunque pocas, tanto de Oriente como de Occidente, reconocen que la ascensión es un proceso diario y una meta cercana de la vida en la Tierra.

La mayoría de los que han ascendido han tenido muchas encarnaciones. Dedicaron numerosas vidas a servir a Dios y al hombre. Mediante el estudio de sus vidas y sus enseñanzas podemos seguir su ejemplo y regresar también a nuestro origen.

Zaratustra

Maestros no ascendidos

Cuando a una persona le llega la oportunidad de ascender, puede escoger entre realizar la ascensión o bien iniciar otra ronda de servicio en el plano físico. El mensajero Mark L. Prophet tuvo que afrontar esta elección al terminar su vida en el año 1973. Después de fallecer, consultó con varios maestros ascendidos en el plano etérico sobre si debía o no ascender. Decidió hacer la ascensión porque ello le proporcionaría una mayor oportunidad de servir a los seres amados y a las almas de luz de todo el mundo.

Algunas almas avanzadas que hoy en día se hallan encarnadas han estado listas para hacer la ascensión en algún momento del pasado, pero eligieron reencarnar en la Tierra debido a su dedicación a quienes todavía necesitaban ayuda. Algunos maestros no ascendidos hicieron una promesa y manifestaron: «No voy a hacer la ascensión, no voy a marcharme del planeta hasta que el último hombre, mujer y niño sean libres».

Algunos de esos maestros no ascendidos que han adquirido tal compromiso viven en montañas y en cuevas del Himalaya. Desde allí mantienen un foco espiritual de luz para la Tierra. Otros sirven a la vida de otras formas. Así que cuando te llegue la hora de hacer la ascensión podrás escoger entre ascender o permanecer en la Tierra con el fin de seguir sirviendo a la humanidad.

Himalayas

---

91. Lucas 24: 50, 51.
92. Génesis 5: 24
93. II Reyes 2: 11

El ritual de la ascensión

La ascensión es verdaderamente un acontecimiento maravilloso ya que eleva la conciencia del planeta entero cuando ocurre. Al lograr el triunfo, otras almas son magnetizadas para acelerarse en su sendero hacia la ascensión. Si en un mismo año acontecen muchas ascensiones, toda la humanidad se vuelve más receptiva a la inspiración divina. En ese momento se acelera el desarrollo en todos los campos de la ciencia, la educación y la curación.

El actual es un período especial en el que los maestros ascendidos pueden enseñar de forma activa a aquellos que están espiritualmente receptivos y prepararlos para esta gran meta. Ellos han explicado que en esta era habrá ascensiones en masa desde las laderas. Quienes capten esta onda de aceleración espiritual comprobarán que llegar a la orilla de la ascensión es una posibilidad real.

Cuando un individuo se gana el derecho a hacer la ascensión, toda la luz que ha acumulado se acelera en un proceso de transformación espiritual. Sus átomos, células y chakras se aceleran y regresa con enorme esplendor al sol de la Presencia YO SOY. Se puede ascender de dos formas: físicamente o a niveles espirituales internos por medio de los cuerpos etéricos.

La ascensión física

En la ascensión física, los átomos del cuerpo son acelerados hasta que el cuerpo físico se convierte en un cuerpo espiritual glorificado. La ascensión física requiere haber saldado entre el 95 y el 100 por cien de karma durante la encarnación. Ello constituye una excepción a la regla. Quienes están destinados a ascender físicamente han de haber recibido preparación a lo largo de miles de años. La mayoría de almas pasan por la muerte natural del cuerpo físico y hacen la ascensión a niveles espirituales desde un templo etérico de los maestros ascendidos.

Godfré Ray King, seudónimo de Guy Ballard, describió la ascensión física de David Lloyd, el hijo de un oficial británico destinado en la India. Ballard sirvió como mensajero de los maestros ascendidos en los años treinta del siglo XX. En su libro *Misterios desvelados*[94] relata la siguiente historia.

A la edad de veinte años, David Lloyd recibió un misterioso comunicado de un maestro no ascendido. Le decía que, cuando encontrara en una gran montaña de Norteamérica a un hombre que le ofreciera una copa de cristal con un líquido burbujeante, esa persona le ayudaría a hacer la ascensión.

A pesar de pruebas extraordinariamente difíciles, decepciones y tristezas, David Lloyd prosiguió su búsqueda durante cincuenta años hasta que dio con Godfré Ray King en el monte Shasta en California. Lloyd contó a Godfré la impresionante historia de su vida. En un momento dado, Godfré sintió el poder de su Presencia YO SOY sobre sí, y su mano materializó

---

94. Godfré Ray King, *Unveiled Mysteries* (Chicago: Saint Germain Press, 1982).

una copa de cristal llena de líquido y vívida luz. David Lloyd bebió su contenido y Godfré tomó las manos de David entre las suyas. En ese instante todo rastro de edad desapareció de David y este comenzó a elevarse de la tierra. Su ropa se esfumó y apareció vestido con relucientes vestiduras blancas. Luego desapareció en una corriente de luz radiante.

Más tarde, en un dictado, este maestro recién ascendido describió su experiencia interna de lo que había sucedido físicamente:

> Tan maravillosa era [...] esa caricia del infinito sobre mi ser finito. [...] Apareció el cuerpo perfecto. Apareció la mente perfecta. El alma perfecta gobernaba el mundo de mi ser. Una oleada de fortaleza infinita me sobrevino y me elevé por el aire. [...]
>
> Porque una nube [...] de amor infinito, cósmico, me recibió, ocultándome de la vista de los hombres. Y en el vínculo de la compasión cósmica, expandí mi conocimiento hacia el infinito como cadencias de belleza, retirándome a un futuro lejano y distante, que apareció luego ante mí como una montaña de esperanza. Y entré en la alegría de Dios. La alegría de Dios llenó mi alma, y la oscuridad se desvaneció por completo.
>
> Y, en el misterio del ser, comprendí que otros como yo seguirían también tras mi experiencia y llegarían a percibir al fin que la lámpara infinita de Dios siempre estuvo encendida, esperando el retorno a casa del hijo pródigo y la elevación de cada individuo que pasara por este magnífico regalo del logro con las vestiduras de la inmortalidad.
>
> ¡Oh, cuánta alegría llenaba mi ser! Después de todos esos años, por fin en casa [...]. Alabanzas a Dios crecían dentro de mí, y pasiones de santa oración, incluso desde este elevado estado, [comenzaron] a retumbar, primero como trueno distante y luego con cadencias y poder cada vez mayores, hasta que mi alma apenas podía resistir la plenitud de tal regocijo mientras caía como una cascada dentro de mí. [...]
>
> Un día, que ni siquiera habéis imaginado, se convertirá para vosotros, y para mí, en una tierna realidad, un regalo infinito —el regalo de la infinidad— [...]. Comprended que el plan amoroso de Dios para cada uno de vosotros es que seáis elevados en el ritual de vuestra ascensión a su debido tiempo, cuando la plenitud del tiempo haya llegado.[95]

La ascensión física produce extraordinarios cambios en el cuerpo de la persona que asciende. El Maestro Ascendido Serapis Bey nos da una descripción gráfica de esta transformación externa en el libro *Actas de la ascensión*:

> Es cierto que, aunque el cuerpo de un individuo pueda mostrar señales de envejecimiento antes de su ascensión, todas ellas cambiarán y la apariencia física del individuo se transformará en el cuerpo glorificado. Aquel asciende, pues, no en un cuerpo terrenal sino en un cuerpo espiritual glorificado en el que se cambia al instante el cuerpo físico mediante una inmersión total en la gran llama divina.
>
> Por tanto, cesa la conciencia que el hombre tiene del cuerpo físico y aquel alcanza un estado de ingravidez. Esta resurrección tiene lugar a medida que la gran llama divina envuelve el caparazón de la creación humana que queda y va transmutando, según un patrón de redes cósmicas, todos los patrones celulares del individuo: la estructura ósea, los vasos sanguíneos y todos los procesos corporales, los cuales sufren una gran metamorfosis.

Santo Ser Crístico

---

95. Dictado del maestro ascendido David Lloyd, 30 diciembre 1970.

La sangre que circula por las venas se transforma en dorada luz líquida, el chakra de la garganta brilla con una intensa luz azul y blanca, el ojo espiritual que está en el centro de la frente se convierte en una alargada llama divina que se eleva, las vestiduras del individuo se consumen totalmente y adopta la apariencia de hallarse vestido con una túnica blanca: la vestidura sin costuras del Cristo. En ocasiones, el cabello largo del cuerpo mental superior aparece como oro puro en el ser que asciende. Los ojos, del color que sean, pueden, a su vez, volverse de un bonito azul eléctrico o violeta claro. [...]

Ya se trate de Zaratustra, el cual ascendió en «la gran llama» o de Elías, que fue llevado al cielo en un «carro de fuego», la llama de la ascensión es la llave que abre a cada hombre la puerta de la inmortalidad. La llama es el vehículo que lleva al ascendido al corazón de su Divina Presencia. Aquel mantiene plena conciencia del ritual entero, y, una vez ascendido, se convierte al instante en emisario de la Gran Hermandad Blanca para llevar a cabo sus varios propósitos los cuales siempre son dirigidos por la Paternidad de Dios.[96]

La ascensión física es, de cierto, un fenómeno impresionante. Sin embargo, la persona que no pasa por una ascensión física termina igual que la que sí lo hace: siendo un maestro ascendido o una maestra ascendida.

Ascender desde niveles internos

Las personas que ascienden a niveles espirituales internos lo hacen desde un foco de los maestros ascendidos en el plano etérico, o sea, el mundo celestial, que se denomina retiro. Los retiros etéricos tienen una coordenada física en la Tierra, pero no se los puede ver normalmente porque se hallan en los reinos espirituales. Quienes están preparados para hacer la ascensión al final de su última encarnación van a un retiro etérico donde reciben la iniciación que les reunirá con su Presencia Divina. Mucha gente asciende desde el retiro etérico del Templo de la Ascensión, en Luxor (Egipto), y participa en el ritual de la ascensión que tiene lugar tal como se explica a continuación.

Templo de la ascensión en Luxor

Acompañado de maestros ascendidos y de almas muy evolucionadas, el ser que va a ascender entra en una sala que se conoce como «la sala de la llama» y sube a un estrado situado en el centro de un amplio círculo donde se colocan maestros ascendidos y huestes angélicas; y sus hermanos y hermanas de luz se reúnen en la parte exterior del círculo. En un momento dado, cuando todo está preparado, suena un tono cósmico especial para esa alma, y desciende una corriente desde un círculo que hay en el techo, a la vez que otra sube desde la base. En el instante en que se oye la música, brota una llama formada por la acción de caduceo que generan ambas corrientes, y las huestes angélicas que están fuera tocan la trompeta en honor a la victoria del alma que asciende, realizando una magnífica interpretación de la «Marcha Triunfal» de la ópera *Aida*. Luego, las corrientes de la ascensión rodean y transforman el cuerpo etérico del ser que asciende en la perfección que es requisito para la unión con la Presencia YO SOY.

96. Serapis Bey: *Actas de la ascensión.*

El futuro es lo que hagáis que sea, así como el presente es lo que hicisteis que fuera. Si no os gusta, Dios ha previsto una forma para cambiarlo. Se trata de que aceptéis las corrientes de la llama de la ascensión.[97]

MAESTRO ASCENDIDO SERAPIS BEY

La ascensión es ciertamente un acontecimiento grandioso y glorioso que señala la culminación de vidas de esfuerzo para manifestar la divinidad innata. A medida que uno, poco a poco, va acumulando luz en su ser por medio de pensamientos, palabras y obras correctas, es conducido con éxito a este punto final de la victoria. Hacer la ascensión también implica el cumplimiento de varios requisitos imprescindibles.

Requisitos para la ascensión

Constituyen los ingredientes esenciales del sendero espiritual. Son pasos preparatorios que contribuyen a purificar el alma y a que uno esté listo para tamaña transformación. A continuación presentamos una visión general de dichos pasos.

El alma debe cumplir ciertas condiciones para ascender. Las tres primeras son: 1ª) equilibrar la llama trina, 2ª) llevar a cabo la misión del alma en la Tierra de acuerdo con su plan divino, y 3ª) saldar al menos el cincuenta y uno por ciento de su karma. Nos extenderemos sobre estos requisitos en el presente capítulo.

Entre los demás requisitos previos a la ascensión se incluyen algunos como alinear los cuatro cuerpos inferiores, alcanzar maestría en los siete rayos espirituales y dominar el pecado, la enfermedad y la muerte. Deben transmutarse los registros kármicos y los patrones que llenan el cinturón electrónico. Y la energía de la Madre, la kundalini, que es la luz blanca centrada en el chakra de la base de la columna, debe elevarse.

Todos ellos dependen, de algún modo, unos de otros ya que el progreso en uno contribuye al cumplimiento de los demás. Por ejemplo, cuando se equilibra la llama trina y se salda karma, ello influye de manera relevante en la capacidad de llevar a cabo con éxito la misión del alma en la vida.

Equilibrar la llama trina

Comoquiera que la llama trina es el eslabón que conduce al corazón de la Presencia YO SOY, deviene pieza clave en el progreso espiritual. Equilibrar la llama trina significa que todas las plumas han de poseer el mismo desarrollo en tamaño y capacidad. Esto quiere decir que el amor del corazón de un individuo ha de ser igual que la sabiduría de su mente, y ambos, idénticos a la determinación de la voluntad divina que tiene en su interior.

La llama trina viene a ser el motor del alma: a través de ella llega el impulso espiritual a los chakras y a los cuatro cuerpos inferiores. Un motor no funciona si no está en equilibrio. El motor del corazón necesita también equilibrio para funcionar correctamente. Si la llama trina no está

---

97. Ibíd.

equilibrada, ciertos componentes del ser se vuelven más predominantes que otros y el aspirante se halla en situación de desequilibrio con respecto a su evolución espiritual. Cuando ello ocurre, se da una especie de gigantismo según el cual una o dos plumas guardan desproporción en relación a las otras. Esta situación puede dificultar al individuo la búsqueda de la maestría crística. El equilibrio es fundamental.

Tomemos como ejemplo el caso de un profesor que está muy enfrascado en sus libros y en el conocimiento teórico. Su pluma amarilla estará muy desarrollada ya que se le da bien estudiar. No obstante, debido a esa dedicación a los asuntos del intelecto, podría despreocuparse del mundo y de las necesidades de la gente. No se le pasa por la cabeza preguntarle cómo puede ayudarla. Tan solo hace su trabajo y piensa: «Bien, soy excelente en mi actividad. Ya no tengo que hacer nada más. Las cosas me van bien ahora mismo. ¿Por qué debería cambiar?». El problema es que no está descubriendo de forma activa los factores equilibradores del amor y el poder. Sin estos componentes equilibrados en su vida, no va a progresar espiritualmente.

El Maestro Ascendido Serapis Bey afirma: «Cuando los hombres dejan de progresar, siempre es porque hay un desequilibrio en la llama trina de la vida [...]. La voluntad de Dios constituye un tercio predominante de la totalidad, pero si carece de la sabiduría de Dios, de la dorada iluminación de su conocimiento supremo, incluso el poder queda mermado de acción. Y sin amor, el poder y la sabiduría no son sino la fragilidad del instinto de conservación. El equilibrio de la llama trina crea un patrón de ascensión para todos»[98].

Es interesante destacar que, cualquiera que sea la pluma más corta de la llama trina, representa el área en la que se tiene más karma. De manera que, al trabajar en el desarrollo de ese aspecto, se salda karma en dicho ámbito. Veamos algunas recomendaciones para equilibrar la llama trina.

Consejos para equilibrar la llama trina

Llama trina

1. **Expande la pluma más corta mediante acciones correctas.** El Maestro Ascendido Saint Germain dijo: «Tal como enseñó el Buda, la clave para la automaestría consiste en la observación de uno mismo. Igual ocurre en lo concerniente a equilibrar la llama trina. Vuestra sensibilidad con respecto a sus plumas os capacitará para determinar cuándo alguna está en desequilibrio»[99]. Las siguientes pautas pueden ayudarte a decidir cuál de tus plumas está menos desarrollada. Ello te permitirá actuar en el sentido de corregir el desequilibrio.

   • La pluma azul representa poder o dedicación a la voluntad de Dios. Si te falta impulso, deseo o voluntad, o si parece que te cuesta hacer las cosas, es probable que necesites amplificar la pluma azul. Una buena manera de llevarlo a cabo sería ocupar algún puesto que implique liderazgo y que en otro caso no asumirías, puesto que el liderazgo ofrece la oportunidad de usar correctamente el poder. Hacerte cargo de un comité, dirigir una iniciativa en el barrio para obras benéficas u organizar actividades extraescolares para niños, son algunas de las formas en que puedes aumentar con eficacia la pluma azul.

98. Serapis Bey: *Actas de la ascensión.*
99. *Pearls of Wisdom*, vol. 39, nº 30, pág. 166.

- La pluma amarilla representa sabiduría y comprensión. Si de manera constante evitas estudiar o tienes dificultad para entender las ideas de otras personas, con toda probabilidad tu llama amarilla necesita expandirse. Puedes apuntarte a algún curso nocturno o enseñar a gente analfabeta a leer y escribir si deseas fortalecer esa llama.

- La pluma rosa significa amor. Si te resulta difícil expresar amor o sientes que no amas lo suficiente, quizá tu llama rosa necesite un estímulo. Un modo de expandir esta pluma es realizando tareas asistenciales a favor del prójimo. Podrías cuidar a niños del barrio, hacer pequeños arreglos para aquellos que están impedidos o colaborar en algún hospicio. Cualquier forma de asistencia al prójimo contribuye siempre a amplificar la llama del amor.

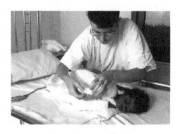

2. **Recita el decreto «Equilibra la llama trina en mí».** Este decreto ayuda a equilibrar con uniformidad todas las plumas de la llama trina, que está en tu corazón. Recítalo con tanta frecuencia como te sea posible para alcanzar esta meta. Si deseas mayor eficacia, repite la parte principal del decreto tres veces.

Equilibra la llama trina en mí

(Preámbulo)

En el nombre de la amada poderosa victoriosa Presencia de Dios, YO SOY en mí, mi muy amado Santo Ser Crístico y amados Santos Seres Crísticos de toda la humanidad, yo decreto:

(Parte principal del decreto)

¡Equilibra la llama trina en mí! (recítese tres veces)
  ¡Amado YO SOY!

¡Equilibra la llama trina en mí! (recítese tres veces)
  ¡Asume tu mando!

¡Equilibra la llama trina en mí! (recítese tres veces)
  ¡Auméntala a cada hora!

¡Equilibra la llama trina en mí! (recítese tres veces)
  Amor, sabiduría y poder!

(Cierre)

¡Y con plena fe acepto conscientemente que esto se manifieste, se manifieste, se manifieste! (recítese tres veces), **¡aquí y ahora mismo con pleno poder, eternamente sostenido, omnipotentemente activo, siempre expandiéndose y abarcando el mundo hasta que todos hayan ascendido completamente en la luz y sean libres!**

¡Amado YO SOY! **¡Amado** YO SOY! **¡Amado** YO SOY!

Realiza tu plan divino

Otro requisito importante para la ascensión es llevar a cabo el plan divino, es decir, el proyecto original interno. Como hemos señalado en lecciones anteriores, todas las personas vinimos de

Dios con una misión especial, un propósito único que desempeñar en la Tierra. Esa misión podría ser cualquier vocación: ser científico, artista, sacerdote o santo. Cualquiera que sea, constituye una orden que hay que cumplir. Los budistas denominan a este propósito interno el darma.

Una forma de relacionarte con tu darma o misión es reconocer cuál es tu pasión en un ámbito determinado. Esta pasión suele identificarse con un ardiente deseo que yace en tu ser por hacer algo que te proporciona una satisfacción especial. Cuando vives tu pasión, siempre estás pensando en ello, desde que te despiertas por la mañana hasta que te acuestas por la noche. Es una pasión que te inspira a realizar un trabajo que sabes que va a redundar en una mejora para tus seres amados, para la comunidad o para la civilización, ya se trate de hacerte *chef*, entrenar a un equipo de fútbol, presentarte para un cargo público o inventar algo para ayudar a la humanidad.

Consejos para llevar a cabo tu plan divino

Si no sientes ningún deseo o pasión por nada de lo que estás haciendo en la vida, quizás uno o varios de los pasos que se indican a continuación te sirvan para definir dicha misión.

1. **Simplifica y enfoca.** Simplifica tu vida estableciendo prioridades espirituales y materiales. A fin de poder formular dicha lista de prioridades, hazte seriamente preguntas como las siguientes:

   - ¿Cuál es mi mayor talento? ¿Cómo puedo aprovecharlo?

   - ¿Cuál es el mayor escollo u obstáculo a mi progreso espiritual? ¿Cómo puedo deshacerme de él?

   - Si el dinero y el tiempo no importaran, ¿qué haría que me produjera una enorme satisfacción?

Escribe en el diario tus prioridades de mayor a menor importancia. Da los pasos necesarios para ponerte manos a la obra con tu primera prioridad comprometiéndote a algo. Vamos a suponer que tu primera prioridad es sacar provecho de tu talento para escribir y nunca has recibido clases para desarrollarlo. Pues bien, quizá decidas ahora apuntarte a algún curso para aprender a escribir. Vuelve a la lista y planes de acción periódicamente, a medida que las prioridades vayan cambiando.

2. **Analízate.** Haz en el diario una lista de tus deseos internos, aptitudes y talentos. Añade también una lista con tu formación y experiencia en ámbitos que puedan serte de ayuda para llevar a cabo tu llamado divino. Analiza la lista para ver si sobresale algún patrón. ¿Se concentran la mayoría de tus talentos, aptitudes y experiencias en una sola área? Este puede ser el campo en el que se encuentre tu misión.

3. **Pide a tu Santo Ser Crístico que te revele tu plan divino**. Puede bastarte hacerlo mediante un simple y sincero llamado en un momento de quietud durante el día, como por ejemplo: «En el nombre YO SOY EL QUE YO SOY, amado Santo Ser Crístico, revélame mi plan divino, la misión que estoy llamado o llamada a realizar en esta vida». Repítelo todos los días hasta que recibas una respuesta.

4. **Dedícate a la vocación que has descubierto.** Por ejemplo, si has averiguado que tu misión es ayudar a los indigentes, convierte en tu prioridad ofrecerte durante unas horas a la semana sirviendo en tu centro asistencial cercano. Si llevar a cabo tu misión supone un cambio en tu profesión, adquiere la formación necesaria que te permita efectuar el cambio.

Salda el cincuenta y uno por ciento de tu karma

Se trata de un requisito imprescindible para hacer la ascensión al terminar la última encarnación. Antes se exigía a las personas que saldaran el cien por cien de su karma, pero eso resultaba muy difícil. De modo que los Señores del Karma establecieron que si se purifica el cincuenta y uno por ciento o más de todas las energías que alguna vez se calificaron erróneamente, se puede ascender. Al ascender, el karma restante ha de saldarse desde los niveles espirituales mediante la llama violeta o prestando servicio a la Tierra y a sus evoluciones.

En el capítulo cinco se explican tres modos importantes de saldar el karma mientras se está encarnado: 1) Soportándolo; 2) sirviendo a la vida; y 3) transmutándolo con la llama violeta. Cuando hagas de saldar karma una prioridad cada día, descubrirás que puedes llegar a cumplir este requisito mucho más fácilmente.

Meditación sobre la ascensión

La siguiente meditación se ha diseñado para ayudarte a sintonizar con la vibración de la llama de la ascensión. Ello puede estimular en ti un deseo más elevado de alcanzar tu propia ascensión. Repítela tantas veces como desees.

1. Busca un lugar tranquilo donde nadie te interrumpa y siéntate en una postura cómoda.

2. Si es posible, pon música suave que te inspire.

3. Visualízate a ti mismo en el Templo de la Ascensión en Luxor, Egipto.

4. Obsérvate siendo candidato para la ascensión, arrodillado para recibir la bendición del Maestro Ascendido Serapis Bey.

5. Visualízate rodeado de una intensa e ígnea llama blanca de la ascensión. Siente cómo envuelve cada aspecto de tu ser en la pureza de su deslumbrante luz.

6. Haz la siguiente serie de llamados para afianzar la llama de la ascensión en tu conciencia:

¡Yo reclamo la victoria de mi misión!
¡Yo reclamo la victoria de mi propósito cósmico y de mi plan divino cumplido!
¡Yo reclamo la victoria en el nombre de Dios!

¡Yo reclamo la victoria de la superación de todo lo que hay dentro de mí que no sea la conciencia crística!
¡Yo reclamo la victoria de la luz!
¡Yo reclamo la victoria de la conciencia de los maestros ascendidos, por los siglos de los siglos!
¡Yo reclamo la victoria de mi ascensión!

7. Ahora recita el siguiente decreto tres veces:

Templo de la ascensión en Luxor

YO SOY la luz de la ascensión,
fluye libre la victoria aquí,
todo lo bueno ganado al fin
por toda la eternidad.

YO SOY luz, desvanecido todo peso
en el aire ahora me elevo;
con el pleno poder de Dios en el cielo,
mi canto de alabanza a todos expreso.

¡Salve! YO SOY el Cristo Viviente,
un ser de amor por siempre.
Ascendido ahora con el poder de Dios
¡YO SOY un sol resplandeciente!

8. Concluye la meditación con las siguientes palabras:

¡Que mi corazón sea sellado en el corazón de Dios!
¡Que mi alma sea sellada en el corazón de Dios!
¡Que mi mente sea sellada en el corazón de Dios!
¡Que mi deseo sea sellado en el corazón de Dios!
¡Que mi visión interna sea sellada en el corazón de Dios!

Puede también serte de ayuda meditar en uno o varios de los siguientes temas:

- La llama de la ascensión, de un intenso e ígneo color blanco, con un brillo cristalino.

- El lirio de Pascua, símbolo de la ascensión en el reino de la naturaleza.

- El diamante, foco de la ascensión en el reino mineral.

- La «Marcha triunfal» de Verdi, melodía de la llama de la ascensión.

La inmortalidad tiene un precio elevado, y, partiendo de la pequeñez de los hombres, exige la totalidad de ellos.[100]

Maestro Ascendido Serapis Bey

---

100. Prophet: *Señores de los siete rayos*

Decreto diario al Arcángel Miguel

Crear un espacio sagrado especial para tus ejercicios espirituales puede mejorar tu experiencia. Hacer tus decretos y meditaciones en un lugar dedicado a ese fin puede construir un poderoso campo de energía de luz capaz de hacer que tu trabajo espiritual sea más fácil y agradable. Entre los decretos que puedes recitar existe un potente llamado nuevo al arcángel Miguel, el gran emisario de luz que mencionamos en el anterior capítulo. Este decreto puede establecer un fuerte escudo de protección de llama azul a tu alrededor mientras realizas tus actividades diarias.

Crea un espacio sagrado

Es conveniente contar con un lugar cómodo en el que puedas hacer tu trabajo espiritual sin interrupciones, bien se trate de algo tan simple como una silla en la esquina de una habitación, o de una sala entera dedicada a este fin. Puede ser un aposento que te permita recogerte y apartarte de toda distracción. Cualquier espacio del que dispongas puede convertirse en un lugar santificado si lo dedicas al trabajo espiritual. De hecho, es posible que ya hayas creado un espacio así y que lo estés usando como santuario personal para aislarte del ajetreo de la vida cotidiana.

La finalidad de este espacio es ayudarte a comulgar con tu naturaleza espiritual, a elevar tu conciencia de vibración y a permitir que la luz fluya más libremente a través de tus chakras. Puedes optar por colocar unos cuantos objetos que lo hagan especial:

- Objetos de la naturaleza, como por ejemplo, una piedra especial que hayas encontrado dando un paseo por la naturaleza, flores o cristales (es preferible que sean flores naturales o de seda).

- Libros sobre temas relevantes para el viaje de tu alma.

- Imágenes o estatuas de ángeles u otros objetos que te proporcionen sensación de santidad.

- Un pequeño altar con velas.

- Una fuente.

- Fotografías de personas o lugares que precisen de tus oraciones, como por ejemplo, miembros de tu familia, ballenas, bosques o el mundo.

- Cualquier cosa significativa en tu sendero individual.

Los objetos específicos de tu espacio santificado ejercen un efecto en el flujo de energía que hay alrededor. Tienen la capacidad o bien de facilitar, o bien de obstaculizar el descenso de luz que se invoca a través de los decretos. Es bueno evitar el desorden que puede impedir el libre flujo de luz y energía. Lo ideal sería que todos los objetos que has colocado en ese espacio fueran relevantes en cuanto al propósito de ayudar a tus seres amados y al planeta.

El estudio de enseñanzas espirituales y la práctica de la meditación y de los decretos son actividades que infundirán luz tanto a ti como a lo que te rodea. Esa energía divina con el tiempo se acumulará y creará lo que se conoce como «campo de fuerza» o «campo energético», que es el aura de energía que envuelve tu espacio sagrado, al igual que tu aura es el campo de energía que te rodea a ti. Cabe percibir similares campos energéticos en grandes catedrales, templos o mezquitas, y también en lugares como Tierra Santa o la Gran Pirámide de Egipto. Asimismo, en bellos parajes naturales. De hecho, el flujo continuo de energía espiritual acerca a muchas personas a la naturaleza, con el fin de nutrir su alma en ese entorno.

Si lo deseas puedes realzar ese espacio con iluminación especial o incienso. O con cualesquiera ideas creativas que se te ocurran. Utiliza la imaginación. Solo debes tener presente que lo que forme parte de ese lugar debería ser apropiado para la actividad que vas a realizar. Por ejemplo, la música de fondo podría resultar contraproducente si estás recitando decretos, pero facilitará tu relajación y la absorción de material nuevo cuando estés leyendo. También puede ejercer un efecto calmante para ciertos tipos de meditación.

Si ya dispones de un espacio sagrado, puedes añadir algo o volver a arreglarlo. Si estás comenzando a crear este tipo de ambiente, ¡diviértete y armonízate con las necesidades de tu alma y con tu entorno para que sea la expresión de tu naturaleza divina!

Un decreto para protegerte cada día

En el capítulo anterior te presentamos al Arcángel Miguel. Cuando se camina por el sendero espiritual es importante llamarle regularmente porque él puede ayudarte a permanecer enfocado hacia la meta de reunirte con tu Yo Crístico y tu Presencia YO SOY. Así que una práctica estupenda que deberías pensar en llevar a cabo consiste en recitar decretos a este arcángel durante unos minutos después de invocar el tubo de luz. El Arcángel Miguel aseguró incluso que asignaría un ángel a todo aquel que le ofreciera decretos durante veinte minutos al día. Este tipo de actividad con los decretos puede dar excelentes resultados.

Observa el caso de Daniel, un piloto de avión que decretaba al Arcángel Miguel durante unos veinte minutos cada día. En cierta ocasión, llevó a sus dos hijos pequeños a dar una vuelta en tractor cerca de su casa a las afueras de Dallas, Texas (EE.UU.), cuando la rama de un árbol le cayó encima del cuello y la espalda. Con la espalda cubierta de sangre, de algún modo se las arregló para recorrer de nuevo ese cuarto de milla y regresar a su casa. No recordaba el camino, pero su hijo de cuatro años, Christopher, sí. «Papá condujo el tractor de vuelta a casa, pero un enorme ángel azul bajó y se sentó al frente del tractor», señaló. El ángel le dijo que su papá se pondría bien.

Daniel se recuperó pronto sin necesidad de pasar por el quirófano, aunque el personal del hospital le advirtió de que había tenido suerte de no quedar tetrapléjico. Él cree que los decretos hicieron posible que el ángel le ayudara.

El siguiente ejercicio emplea la concentración en el corazón y la visualización como prefacio del decreto al Arcángel Miguel. Si haces de este ejercicio un hábito diario, ¡verás qué valioso es!

Ejercita la Palabra hablada: Ejercicio diario para invocar la protección del Arcángel Miguel

1. Ve a tu interior y dirige conscientemente toda la atención a tu corazón. Cierra si quieres los ojos y coloca una mano encima de él.

2. Respira profundamente varias veces hasta que te sientas tranquilo y centrado.

3. Siente amor profundo por alguna persona cercana a ti, recordando un acontecimiento o lugar especial.

4. Aún centrado en tu corazón, observa esta imagen del Arcángel Miguel.

5. Cierra los ojos y visualiza la imagen en la mente. Ve al Arcángel Miguel de pie sobre ti: un ser alto, poderoso, que te envuelve por completo con su presencia.

6. Recita el siguiente decreto al Arcángel Miguel para invocar su protección. Después de recitar cada verso seguido del estribillo, recita la coda tres veces. Luego repite la parte principal del decreto entera tres veces.

Arcángel Miguel

En el nombre de la poderosa victoriosa Presencia de Dios, YO SOY en mí, mi muy amado Santo Ser Crístico, amados Santos Seres Crísticos de toda la humanidad y amado Arcángel Miguel, yo decreto:

1. San Miguel, San Miguel,
   invoco tu llama,
   ¡libérame ahora,
   esgrime tu espada!

Estribillo: Proclama el poder de Dios,
   protégeme ahora.
   ¡Estandarte de fe despliega ante mí!
   Relámpago azul destella en mi alma,
   ¡radiante YO SOY por la gracia de Dios!

2. San Miguel, San Miguel,
   yo te amo, de veras;
   ¡con toda tu fe
   imbuye mi ser!

3. San Miguel, San Miguel
   y legiones de azul,
   ¡selladme, guardadme
   fiel y leal!

Coda: ¡YO SOY saturado y bendecido
   con la llama azul de Miguel,
   YO SOY ahora revestido
   con la armadura azul de Miguel!   (recítese tres veces)

¡Y con plena fe acepto conscientemente que esto se manifieste, se manifieste, se manifieste! (recítese tres veces), ¡aquí y ahora mismo con pleno poder, eternamente sostenido, omnipotentemente activo, siempre expandiéndose y abarcando el mundo hasta que todos hayan ascendido completamente en la luz y sean libres!

¡Amado YO SOY! ¡Amado YO SOY! ¡Amado YO SOY!

Invitación

    Gracias por compartir esta *Aventura del espíritu* con nosotros. Esperamos que hayas cosechado numerosas claves como ayuda en el viaje espiritual de tu vida, que continúa. Si este libro te ha sido útil, el segundo de la serie, *Conoce a los maestros*, y el tercero, *Trabaja con los maestros*, te ofrecen nuevas fronteras emocionantes para el autoconocimiento y la conexión con la jerarquía celestial. Si deseas pedir estos libros o productos relacionados, ve al apartado 'Sugerencias para ampliar el estudio' al final de este libro.

> *¡Que tu aventura del espíritu*
> *siga siendo un alegre y penetrante viaje*
> *a las alturas y profundidades*
> *de tu alma y al magnífico propósito*
> *que la vida te tiene reservado!*

Glosario

Afirmación. Declaración positiva que suele empezar con el nombre de Dios «YO SOY», para afirmar y fortalecer las cualidades de Dios dentro de una persona, contribuyendo con ello a la manifestación física de dichos atributos.

Alma. Es el potencial vivo de Dios, proyectado desde la Presencia YO SOY a la evolución física. El alma no es inmortal, pero puede alcanzar la inmortalidad por medio de la fusión con el Santo Ser Crístico y con la Presencia YO SOY en el ritual de la ascensión.

Arcángel Miguel. Ángel del Señor que se erige en defensor de la conciencia crística de todos los hijos de Dios. También conocido como Príncipe de los Arcángeles y Defensor de la Fe. Al ser el arcángel del primer rayo, Miguel encarna las cualidades de la fe, la protección, la perfección y la voluntad de Dios. Es el ángel más venerado en los libros sagrados y en las tradiciones judía, cristiana e islámica.

Arcángel Rafael. Arcángel del quinto rayo espiritual (el verde), de la ciencia, la curación y la visión. El Arcángel Rafael, junto con la Madre María, que es su complemento divino, aporta una enorme energía de curación a las evoluciones de la Tierra. En hebreo, el nombre de Rafael significa «Dios ha curado». El *Zohar* (un texto místico judío) señala que «Dios recarga a Rafael para sanar la Tierra, y a través de él, la Tierra proporciona una morada al hombre, a quien también cura de sus enfermedades».

Ascensión. Aceleración espiritual de conciencia que tiene lugar al término natural de la última vida en la Tierra, cuando el alma se reúne con Dios y queda liberada de la ronda de karma y renacimiento.

Aura. Emanación luminosa o campo electromagnético que rodea el cuerpo físico. Es la atmósfera que rodea y penetra los cuatro cuerpos inferiores del hombre y sus chakras, en los que se registran impresiones, pensamientos, sentimientos, palabras y acciones del individuo, incluido su karma y los recuerdos de vidas pasadas.

Buda Gautama. *Buda* significa «el iluminado». Gautama alcanzó la iluminación del Buda durante su última encarnación siendo Sidarta Gautama (c. 563-483 a.C.). Durante cuarenta y cinco años predicó su doctrina de las Cuatro Nobles Verdades, el Sendero Óctuple y el Camino Medio, que constituyeron la fundación del budismo. El Buda Gautama ostenta actualmente el cargo de Señor del Mundo y es el jerarca de Shamballa, un retiro etérico situado en el desierto de Gobi.

Cámara secreta del corazón. Cámara espiritual situada detrás y a la izquierda del chakra del corazón y rodeada por una gran luz y protección. Es el punto de conexión del cordón de luz que desciende desde la Presencia YO SOY para sostener el latido del corazón físico, dando vida, propósito e integración cósmica. Es el lugar especial donde se comulga con el Santo Ser Crístico y se aviva el fuego de la llama trina.

Chakra. Palabra sánscrita que significa «rueda», «disco» o «círculo». Término que se usa para indicar los centros de luz anclados en el cuerpo etérico que gobiernan el flujo de energía hacia los cuatro cuerpos inferiores del hombre.

Chakra del corazón. Su nombre sánscrito es *anahata*, que significa «no explorado» o «intacto». Es de color rosa y tiene doce pétalos. Se halla en el centro del pecho. Está relacionado con el tercer rayo y con la expresión de los sentimientos de amor, compasión, belleza, abnegación, sensibilidad, aprecio, consuelo, creatividad, caridad y generosidad.

Chakra del plexo solar. Nombre sánscrito: *manipura*, que significa «ciudad de joyas» o «lleno de joyas». Chakra de diez pétalos situado a la altura del ombligo. Sus colores son púrpura y oro con motas de rubí. Está asociado al sexto rayo y a la expresión de las cualidades de paz, fraternidad, servicio abnegado, deseo correcto, equilibrio e inocuidad (incapacidad de hacer daño).

Chakra del tercer ojo. Nombre sánscrito: *ajna*, que significa «dar órdenes». Es un chakra de color verde esmeralda ubicado en el entrecejo. Se asocia al quinto rayo y a la expresión de las cualidades de verdad, visión divina, sostener la visión más elevada de uno mismo y de los demás, curación, integridad, abundancia, claridad, constancia, concentración, música y ciencia.

Chakra de la base de la columna. Su nombre sánscrito es *muladhara*, que significa «raíz» y «base» o «cimientos». Chakra blanco de cuatro pétalos situado en la base de la columna vertebral. Está relacionado con el cuarto rayo y con la expresión de pureza, esperanza, alegría, disciplina, integración, perfección, integridad y nutrición.

Chakra de la coronilla. Su nombre sánscrito es *sahasrara*, que significa «multiplicado por mil». Es un chakra amarillo-dorado de 972 pétalos situado en la coronilla. Se relaciona con el segundo rayo y la expresión de iluminación, sabiduría, conocimiento de uno mismo, entendimiento, humildad, imparcialidad o mentalidad abierta y conciencia cósmica.

Chakra de la garganta. Nombre sánscrito: *vishuddha*, que quiere decir «puro» o «pureza». Chakra azul de dieciséis pétalos situado en la garganta. Se relaciona con el primer rayo y la expresión de poder, voluntad, fe, protección, dirección, valentía y obediencia.

Chakra de la sede del alma. Su nombre sánscrito es *svadhishthana*, que significa «dulzura», «suavidad» o «morada del yo». Chakra violeta de seis pétalos situado entre el ombligo y la base de la columna. Está asociado al séptimo rayo y a la expresión de libertad, misericordia, perdón, justicia, trascendencia, alquimia, transmutación, diplomacia, intuición, profecía y revelación.

Chakras de los rayos secretos. Son los cinco chakras menores, que se corresponden con los cinco rayos secretos. Están situados en las manos, en los pies y en el costado izquierdo, los mismos lugares donde se le clavaron los clavos a Jesús y donde le atravesaron con la espada.

Chohán. Es una palabra que se utiliza con el sentido de «señor» o «maestro». Un chohán concreto preside cada uno de los siete rayos. Esos siete chohanes —o señores— de los rayos se han especializado en aplicar su rayo durante sus muchas encarnaciones en la Tierra y nos instruyen en la automaestría sobre cada rayo. Los nombres de los chohanes y sus rayos son: El Morya, primer rayo; Lanto, segundo rayo; Pablo el Veneciano, tercer rayo; Serapis Bey, cuarto rayo; Hilarión, quinto rayo; Nada, sexto rayo; Saint Germain, séptimo rayo.

Ciencia de la Palabra hablada. Consiste en invocar la luz de Dios para producir cambios constructivos en uno mismo y en el mundo. Los que la practican la utilizan en afirmaciones, oración hablada y mantras para acceder a la energía divina del Yo Crístico, de la Presencia YO SOY y de los maestros ascendidos, a fin de dirigirla a circunstancias que requieran transformación.

Cinco rayos secretos. Emanaciones de luz de la Divinidad que se originan en el núcleo de fuego blanco del Cuerpo Causal. Se corresponden con los cinco chakras menores, que se hallan en las manos, los pies y en el costado izquierdo.

Cinturón electrónico. Es la espiral negativa o el campo energético de densidad que una persona crea a través de sus usos erróneos de la energía en el presente y en todas las vidas pasadas. Se extiende desde la cintura hasta la zona debajo de los pies. Se asimila en su forma a un enorme timbal y contiene los registros acumulados de los pensamientos y sentimientos negativos. Constituye la perversión del Cuerpo Causal.

Conciencia crística. Conciencia o percepción del yo en el Cristo y como él. Obtención de un nivel de conciencia acorde con el que logró Jesús, el Cristo. La conciencia crística es la comprensión interna —en el alma— de la mente que estuvo en Jesucristo.

Cordón cristalino. Corriente de luz, vida y conciencia de Dios que desciende de la Presencia YO SOY que nutre y sostiene el alma y sus cuatro cuerpos inferiores. También se le denomina cordón de plata.

Cosmos. Conocido también como Poderoso Cosmos, es un maestro ascendido y un ser cósmico que ha alcanzado la conciencia cósmica y sostiene literalmente todo el cosmos en su aura. Encarna las energías de muchos mundos y sistemas de mundos contenidos en esta galaxia y más allá, con el poder de los cinco rayos secretos.

Cristeidad. Expresión individual de la conciencia del Cristo Universal. En el sendero espiritual el Yo Crístico individual, es decir, el Cristo personal, es el iniciador del alma. Cuando el individuo pasa ciertas iniciaciones en el sendero de cristeidad, adquiere el derecho a ser llamado ser crístico y el título de Hijo o Hija de Dios.

Cuatro cuerpos inferiores. Cuatro fundas o envolturas que rodean al alma. Vehículos que utiliza el alma en su viaje por la Tierra: el etérico o cuerpo de la memoria, el cuerpo mental, el cuerpo de deseos o cuerpo emocional y el cuerpo físico.

Cuerpo astral. Uno de los cuatro cuerpos del hombre, también denominado cuerpo emocional o de los deseos. Registra las emociones y contiene tanto los deseos más elevados como los más bajos.

Cuerpo Causal. Esferas de luz que se interpenetran unas con otras y que rodean a la Presencia YO SOY a niveles espirituales. Las esferas del Cuerpo Causal contienen los registros de los actos virtuosos que hemos realizado para la gloria de Dios y la bendición del hombre a través de nuestras muchas encarnaciones en la Tierra.

Cuerpo emocional. Es uno de los cuatro cuerpos inferiores del hombre, también denominado cuerpo de los deseos o cuerpo astral. Registra las emociones y contiene los deseos elevados y los inferiores.

Cuerpo etérico. También llamado cuerpo de la memoria, alberga el proyecto divino de la identidad del alma y contiene el recuerdo de todo lo que le ha sucedido a esta, así como de todos los impulsos que ha emitido.

Cuerpo mental. Uno de los cuatro cuerpos inferiores del hombre. Consiste en los procesos del pensamiento que hacen posible razonar, resolver problemas y comunicar. Cuando es acelerado, el cuerpo mental se convierte en el recipiente del Yo Crístico o conciencia crística.

Darma. (Palabra sánscrita —*dharma*— que literalmente significa «llevar», «sostener», «lo que sostiene la naturaleza verdadera de uno».) El darma de un individuo consiste en su deber de llevar a cabo su razón de ser. Es su plan divino, que transcurre como un hilo a través de todas sus vidas. Cuando se ha realizado el darma y se ha saldado suficiente karma, el alma se vuelve apta para la ascensión.

Decreto. Forma dinámica de oración hablada que usan los estudiantes de los maestros ascendidos para dirigir la energía espiritual de Dios a circunstancias individuales y mundiales a fin de producir cambios constructivos.

Dictados. Mensajes de los maestros ascendidos, arcángeles y otros seres espirituales avanzados, que un mensajero o mensajera de la Gran Hermandad Blanca pronuncia por mediación del Espíritu Santo.

Dios Padre-Madre. Es la integridad divina a la que se refirió el Señor Cristo en el Apocalipsis como «el principio y el fin», o Alfa y Omega. A través del Cristo Universal, el Verbo encarnado, el Padre es el origen y la Madre, el cumplimiento de los ciclos de la conciencia de Dios expresada por medio de la creación de Espíritu-Materia.

Djwal Kul. Maestro ascendido conocido como D.K. y «el tibetano». Fue el discípulo más destacado de Kutumi y se dice que vivió cerca de su maestro en el Tíbet. Djwal Kul ayudó a Kutumi y a El Morya en su trabajo con la Sociedad Teosófica. Estuvo encarnado en Gaspar, uno de los tres reyes magos que honraron a Jesús cuando nació.

El Morya. Chohán del primer rayo, el rayo azul, del poder divino. Enseña a las almas a obtener automaestría con el chakra de la garganta y el desarrollo de la fe, la buena voluntad, el liderazgo, la protección, la perfección y la rendición a la voluntad divina. El Morya aconseja a muchos tipos de personas, incluidas las que sirven en los gobiernos de las naciones, los maestros, los científicos, los economistas, la avanzadilla y los que sirven a la voluntad de Dios. Es el maestro y el patrocinador de Mark y Elizabeth Clare Prophet y el fundador de The Summit Lighthouse.

Elías. Es el profeta israelita que fue llevado al cielo en un carro de fuego (2 Reyes 2:11). Más tarde encarnó en Juan el Bautista, el cual preparó el camino para la misión de Jesús (Mateo 17:10-13). Elías constituyó una rara excepción mediante la cual un hombre que había ascendido reencarnó en un cuerpo físico. Después de esa vida siendo Juan el Bautista retornó al estado ascendido.

Elizabeth Clare Prophet. Mística, escritora, conferenciante, instructora espiritual y mensajera de los maestros ascendidos (quienes han recorrido el sendero espiritual y se han reunido con Dios). Siendo mensajera ha producido un gran número de obras en casete, video, libros y conferencias. Ello incluye más de 1.800 dictados de los maestros ascendidos y más de 75 libros sobre las enseñanzas que aquellos han dado. Ha aparecido en programas de retransmisión nacional por televisión en los EE.UU., con 'In search of' y 'Ancient Prophecies' de la NBC. También habló sobre su trabajo en 'Donahue' y 'Larry King Live', y ha dado conferencias en ese y en veintiocho países más, en las que ha hablado de temas espirituales como son las profecías, el aura, la reencarnación y los senderos místicos de las religiones del mundo.

Enoc. Según la Biblia, fue el profeta que predijo el juicio de los impíos (Judas 4-19). La Biblia afirma que «caminó, pues Enoc con Dios, y desapareció, porque le llevó Dios» (Génesis 5:24). Estas palabras han sido interpretadas como el registro de su ascensión. Se le conoce ahora como el Maestro Ascendido Enoc.

Era de Acuario. Ciclo de 2.150 años que sigue a la era de Piscis. Esta última nos trajo la percepción de Dios como Hijo, ejemplificada por el patrocinador de esa era, Jesucristo. La era de Acuario nos aporta la conciencia de Dios como Espíritu Santo y como Madre Divina. Está patrocinada por el Maestro Ascendido Saint Germain y su complemento divino, la Maestra Ascendida Porcia. Durante este ciclo, la humanidad gozará de la oportunidad de aplicar las leyes de la libertad y la justicia, la ciencia de la precipitación y la transmutación, y los rituales de invocación a Dios que han de traer una era de iluminación y paz que el mundo jamás ha conocido.

Escuelas de misterios. Retiros de la Gran Hermandad Blanca que constituyen depósitos o almacenes, en la Tierra, del conocimiento de Dios. Estos retiros establecen y mantienen el uso responsable de energía divina. Algunas escuelas de misterios del pasado fueron el Jardín del Edén, el Sanga del Buda Gautama, la comunidad de esenios de Qumrán y la Escuela de Pitágoras en Crotona.

Espíritu. Polaridad masculina de la Divinidad, en relación a la coordenada femenina de la materia. Dios como Padre incluye necesariamente la polaridad femenina de Sí mismo consistente en Dios como Madre, por lo que se le llama Dios Padre-Madre. Es el plano de la Presencia YO SOY, el lugar donde moran los maestros ascendidos en el reino de Dios.

Godfré Ray King. Seudónimo de Guy W. Ballard, mensajero de la Gran Hermandad Blanca que fundó el movimiento YO SOY a principios de los años treinta bajo la dirección de Saint Germain. Encarnó también en Ricardo Corazón de León y George Washington. Al final de su vida, el Sr. Ballard hizo la ascensión y ahora se le conoce por el nombre de Maestro Ascendido Godfré.

Gran Hermandad Blanca. Fraternidad espiritual de maestros ascendidos, arcángeles y otros seres espirituales avanzados. La palabra «blanca» no se refiere a la raza sino al aura (aureola) de luz blanca que rodea a estos inmortales. La Gran Hermandad Blanca trabaja con buscadores sinceros de cualquier raza, religión y clase social, para ayudar a la humanidad. También forman parte de la Hermandad algunos discípulos no ascendidos de los maestros ascendidos.

Gran Sol Central. También llamado el Gran Eje, es el centro del cosmos, el punto de integración del Cosmos del Espíritu y la Materia, el punto de origen de toda creación físico-espiritual. El foco del Gran Sol Central en nuestro sector de la galaxia es la estrella de Dios, Sirio.

Jesús. El Maestro Ascendido Jesucristo es el avatar de la era de Piscis y la encarnación de la conciencia crística universal. Encarnó (en Galilea) para revelar el Yo Crístico individual a la humanidad y para mostrar las obras del Padre (la Presencia YO SOY) que pueden llevar a cabo Sus hijos e hijas por medio de la llama del Yo crístico individual. Actualmente sirve con Kutumi en el cargo de Instructor del Mundo.

Juan. Uno de los principales discípulos de Jesús, el discípulo «a quien él amaba» (Juan 19:26; 20:2). Hizo la ascensión al final de aquella vida y se le conoce como el Maestro Ascendido Juan el

Amado. Juan escribió el cuarto Evangelio, tres epístolas y el Apocalipsis. Su retiro se halla en el plano etérico sobre el desierto de Arizona.

Karma. (En sánscrito «acto», «acción», «obra».) El karma, tanto positivo como negativo, es el resultado de causas que pusimos en marcha en el pasado, ya sea hace diez minutos o diez encarnaciones. La ley del karma exige la reencarnación del alma hasta que todos los ciclos kármicos se hayan saldado.

Krishna. La octava y más popular encarnación de Vishnú, la segunda persona de la Trinidad hindú formada por Brahma, Vishnú y Shiva. Krishna focaliza a Dios como Hijo, es decir, el Cristo encarnado. Krishna pasó su juventud (con el nombre Gopala) entre vaqueros y *gopis* (encantadoras ordeñadoras). Se decía que estas eran iniciadas que encarnaron para disfrutar de la íntima relación gurú-chela con su Señor encarnado. La infancia de Krishna (con el nombre Govinda) prodigó milagros y alegres obras.

Kuan Yin. Se conoce a esta maestra ascendida como la Diosa de la Misericordia porque personifica las cualidades divinas de misericordia, compasión y perdón. Kuan Yin ascendió hace miles de años e hizo el voto de servir al planeta Tierra hasta que todas las evoluciones sean libres. Desde su retiro etérico asiste a las almas de la humanidad, enseñándoles a saldar karma y a realizar su plan divino a través del servicio amoroso a la vida y de la aplicación de la llama violeta.

Kundalini. (En sánscrito, literalmente: «serpiente enroscada hacia arriba».) Es el fuego sagrado que yace en el chakra de la base de la columna como una serpiente enroscada. Se le conoce también como la luz de la Madre Divina. Cuando se la despierta, se eleva a través de la columna vertebral hasta el chakra de la coronilla, acelerando cada uno de los demás chakras a su paso por ellos.

Kutumi. Maestro ascendido que sirve con Jesús en el cargo de Instructor del Mundo. Se le conoce como el Maestro psicólogo y patrocina a la juventud. También dirige el Templo etérico de la Iluminación en Cachemira y la orden de Hermanos y Hermanas de la Túnica Dorada. Inspira a arquitectos, poetas y científicos a través de la geometría divina. Entre sus encarnaciones se cuentan Pitágoras, Baltasar (uno de los tres reyes magos) y San Francisco de Asís. En 1875 fundó la Sociedad Teosófica con El Morya, y se le llamó el Maestro K.H. o Koot Hoomi.

Lanello. (Se pronuncia «Lanelo».) Nombre de maestro ascendido de Mark L. Prophet, mensajero de la Gran Hermandad Blanca. Junto con otros maestros, el Maestro Ascendido Lanello dirige espiritualmente las actividades de The Summit Lighthouse desde el mundo celestial como «gurú siempre presente».

Llama gemela. Toda alma tiene su contraparte divina o llama gemela. Cada par de llamas gemelas se creó a partir de un cuerpo de fuego blanco en el corazón del Gran Sol Central. Este cuerpo se dividió en dos esferas idénticas, cada una formada por una Presencia YO SOY rodeada por un Cuerpo Causal. De la Presencia YO SOY de cada uno surgió el alma de la llama gemela. Con el doble propósito de encarnación y evolución de las llamas gemelas, las dos almas se encuentran en situación de polaridad recíproca, representando una la mitad masculina y la otra, la femenina, del Todo Divino. Ambas polaridades pueden alternarse en encarnaciones sucesivas. Las llamas gemelas comparten un proyecto original electrónico y un destino cósmico únicos. Se reúnen de forma permanente cuando las dos almas hacen la ascensión.

Llama trina. Chispa divina, llama de Dios oculta en la cámara secreta del corazón, en forma de tres plumas de amor, sabiduría y poder. Punto de contacto del alma con su Presencia YO SOY y su Santo Ser Crístico.

Llama violeta. Es un aspecto del séptimo rayo del Espíritu Santo. Es el fuego sagrado que transmuta la causa, el efecto, el registro y el recuerdo del pecado, es decir, del karma negativo. También se la denomina la llama de la transmutación, de la libertad y del perdón. Cuando la llama violeta se invoca por medio de la ciencia de la Palabra hablada, aporta cambios significativos y constructivos.

Madre María. Madre de Jesucristo. Su nombre significa Rayo de la Madre (*Ma ray*). A través de sus encarnaciones en la Tierra, dio ardiente ejemplo de la Maternidad de Dios. Actualmente es una maestra ascendida, conocida por ser una gran sanadora e intercesora a favor de la humanidad. Enseña la ciencia del concepto inmaculado, esto es, la capacidad de mantener la imagen del patrón perfecto de cada forma de vida, de modo que contribuya a hacer que se manifieste. Es la llama gemela del Arcángel Rafael.

Maestros ascendidos. Seres espirituales iluminados que en algún momento vivieron en la Tierra, llevaron a cabo su razón de ser y ascendieron, es decir, se reunieron con Dios. Los maestros ascendidos son los verdaderos maestros de la humanidad, y dirigen la evolución espiritual de todos los devotos de Dios.

Mahá Chohán. Jerarca de los siete chohanes de los rayos. Su nombre significa «el Gran Señor». Encarna la luz blanca de los siete rayos y enseña el equilibrio y la integración de estos rayos. El Mahá Chohán es también el representante del Espíritu Santo para la Tierra y sus evoluciones. Debido a su compromiso con toda la humanidad de mantener la llama hasta que ella pueda hacerlo, se le llama el Guardián de la Llama.

Mantra. Breve oración hablada que consiste en una palabra o una serie de palabras repetidas que invocan un aspecto particular o una cualidad de Dios.

Mark L. Prophet. Mensajero de la Gran Hermandad Blanca fundador de The Summit Lighthouse en 1958 siguiendo instrucciones del Maestro Ascendido El Morya. Al final de su encarnación, en 1973, Mark hizo la ascensión y ahora se le conoce como el Maestro Ascendido Lanello. Después de ascender, su llama gemela, la mensajera Elizabeth Clare Prophet, llevó adelante The Summit Lighthouse.

Melquisedec. La Biblia se refiere a él como «rey de Salem» y «sacerdote del Dios Altísimo» (Génesis 14:18). Se le conoce con el nombre Maestro Ascendido Melquisedec y enseña el sendero del sacerdocio de Melquisedec en un retiro etérico situado sobre el Caribe, en Cuba.

Mensajero/a. Persona que ha sido preparada por un maestro ascendido para recibir y pronunciar las enseñanzas, los mensajes y las profecías de la Gran Hermandad Blanca destinados a un pueblo en una época determinada.

Meta. Maestra ascendida que sirve en el quinto rayo (verde), el de la curación, la ciencia y la verdad. Es la hija de Sanat Kumara y la Maestra Venus, jerarcas del planeta Venus. En la Atlántida, Meta cuidaba de la llama de curación en el templo de la curación, hoy día focalizado en el plano etérico sobre Nueva Inglaterra (EE.UU.). Actualmente sirve en varios templos etéricos de curación y trabaja con todos los Maestros y huestes angélicas de la curación, en especial para asistir a los niños. Ayuda a los padres con los problemas de sus hijos y cura la mente de los niños de influencias dañinas. Meta sostiene el concepto inmaculado, el diseño cristalino puro y perfecto para cada niño de la Tierra y para los que van a encarnar. Mediante nuestros llamados podemos transmitir esta matriz cristalina a los cuerpos etéricos de nuestros hijos.

Octavo rayo. Rayo de la integración, donde integramos la maestría sobre los siete rayos a través de la llama del Cristo, esto es, la llama trina. El octavo rayo corresponde a la cámara secreta del corazón, un chakra de ocho pétalos que está detrás y a la izquierda del chakra del corazón, en el que está sellada la llama trina.

OM. (Palabra sánscrita.) Sílaba sagrada de la creación, Palabra que surgió en el Principio y en la que se originan todos los demás sonidos.

Omri-Tas. Gobernante del Planeta Violeta. Posee una intensidad tal de llama violeta y del séptimo rayo en su aura que se extiende más allá de las dimensiones del planeta Tierra. Las evoluciones del Planeta Violeta han servido a la llama violeta durante eones, y la usan para atender sus necesidades diarias: limpiar sus casas, cuidar y purificar el planeta, e incluso para lavarse. Los ángeles de la llama violeta y los elementales ejecutan las faenas domésticas, permitiendo así que la gente tenga tiempo de seguir el sendero de adepto y prestar servicio a otros hogares planetarios. Omri-Tas ha otorgado dispensaciones específicas de llama violeta para ayudar a los estudiantes de los maestros ascendidos y para elevar la Tierra. Es importante llamar a Omri-Tas para reactivar y multiplicar estas dispensaciones.

Plan divino. Plan de Dios para el alma, ordenado al principio cuando se imprimió el proyecto original de la vida en el núcleo de fuego blanco de la Presencia YO SOY individual. Cada alma está destinada a realizar la totalidad de su potencial predeterminado (pero no predestinado).

Plano etérico. Plano u octava más elevada de las dimensiones de la materia. Es un plano tan concreto y real como el físico, pero es percibido por los sentidos del alma en una dimensión y una conciencia más allá de la física.

Presencia YO SOY. Es la Presencia de Dios —el YO SOY EL QUE YO SOY— individualizada para cada uno de nosotros.

Proyecto divino original. Es el proyecto original de la vida que Dios imprimió en el ígneo núcleo de la Presencia YO SOY. Contiene las claves para llevar a cabo el destino único de cada cual, así como el plan divino.

Red o tejido de luz. Es sinónimo de *antahkarana*, el tejido o red de luz que abarca el Espíritu y la materia, conectando y sensibilizando la creación entera dentro de sí y hasta el corazón de Dios.

Reencarnación. Renacimiento de un alma en un cuerpo humano nuevo. El alma sigue regresando al plano físico en un cuerpo nuevo hasta que ha saldado su karma, logrado dominio sobre sí misma y cumple los requisitos espirituales para la reunión con su Presencia YO SOY mediante el ritual de la ascensión.

Retiro etérico. Lugar de gran luz espiritual situado en el plano etérico o mundo celestial, el plano de más alta vibración en la materia. Los retiros se componen de ciudades etéricas enteras, templos de luz y edificios con varias salas dedicadas a fines específicos. Cada retiro posee rasgos singulares y mantiene una reserva de energía de luz, que se utiliza para ayudar a la humanidad en su sendero evolutivo. Durante el sueño y entre encarnaciones, el alma puede viajar a los retiros en su cuerpo etérico a fin de recibir instrucción profunda de los miembros de la jerarquía cósmica.

Revelación progresiva. Revelación continuada de verdades espirituales a la humanidad, especialmente a través de mensajes o dictados. Los maestros ascendidos, arcángeles y otros seres espirituales avanzados ofrecen sus dictados a la humanidad por medio de mensajeros designados de la Gran Hermandad Blanca.

San Francisco de Asís. (c. 1181-1226) Encarnación del Maestro Ascendido Kutumi. Conocido como el «divino poverello», renunció a familia y riqueza para abrazar a «la señora pobreza». Vivió entre pobres y leprosos, hallando profundo regocijo al imitar la compasión de Cristo. En 1209 fundó la Orden Franciscana de Frailes Menores.

Saint Germain. Chohán del séptimo rayo, el rayo violeta, de la libertad y la transmitación; Jerarca de la era de Acuario y patrocinador de los Estados Unidos de América. Inicia a las almas en el ritual de la transmutación con la llama violeta, por medio de la Palabra hablada, la meditación y la visualización.

Santa llama crística. Llama trina o chispa divina, llama de Dios oculta en la cámara secreta del corazón; punto de contacto del alma con su Presencia YO SOY y Santo Ser Crístico.

Santa Teresa de Jesús. (1515-1582) Mística católica contemporánea y buena amiga de San Juan de la Cruz. En 1970 se la proclamó la primera mujer Doctora de la Iglesia, título que se otorga a quienes muestran un alto grado de santidad y eminente conocimiento. En su última encarnación, siendo Florence Jeannette Miller, ayudó a los mensajeros Mark y Elizabeth Prophet. Después de su fallecimiento, que tuvo lugar el 19 de septiembre de 1979, hizo la ascensión y adoptó el nombre de Maestra Ascendida Kristine. A lo largo de sus encarnaciones demostró el profundo amor de su corazón mediante sacrificio, entrega, renuncia y servicio.

Santa Teresa de Lisieux. (1873-1897) Monja carmelita francesa que recibió el sobrenombre de la *florecilla de Jesús*. En la tradición católica se la conoce como santa Teresa del Niño Jesús. Creyó que su misión era enseñar a las almas «el caminito», que consistía en la «infancia espiritual, la confianza y la entrega absoluta de uno mismo». Ascendió al final de esa encarnación y actualmente se la conoce como la Maestra Ascendida Teresa de Lisieux.

Santo Ser Crístico. Nuestro instructor, guardián y amigo interno; el defensor y mediador entre nuestra alma y Dios, el cristo individualizado para cada uno de nosotros.

Señores del Karma. Maestros ascendidos y seres cósmicos que forman el Tribunal Kármico. Dispensan justicia a este sistema de mundos, asignando karma, misericordia y juicio a cada alma.

Todas ellas han de pasar ante este tribunal antes y después de cada encarnación en la Tierra, con objeto de recibir su tarea y asignación kármica para cada vida y de revisar su desempeño al concluirse.

Serapis Bey. Chohán del cuarto rayo, el rayo blanco, el de la pureza; Maestro ascendido que prepara y forma a los candidatos para la ascensión. Es el jerarca del Templo de la Ascensión, que es un retiro ubicado en el mundo celestial en Luxor, Egipto.

Siete rayos. Siete rayos espirituales de luz de Dios; siete rayos que surgen de la luz blanca de la conciencia crística. Cada rayo concentra una frecuencia o color y cualidades específicas: 1º) azul: fe, voluntad, poder, perfección y protección; 2º) Amarillo: sabiduría, entendimiento e iluminación; 3º) rosa: compasión, bondad, caridad, amor y belleza; 4º) blanco: pureza, disciplina, orden y alegría; 5º) verde: verdad, ciencia, curación, música, abundancia y visión; 6º) morado y oro con motas de rubí: ministración, servicio, paz y fraternidad; 7º) violeta: libertad, misericordia, justicia, transmutación y perdón.

Summit University. Escuela moderna de misterios fundada en 1971 bajo la dirección de los mensajeros Mark L. Prophet y Elizabeth Clare Prophet. En Summit University los estudiantes estudian las enseñanzas de los maestros ascendidos transmitidas a través de sus mensajeros.

The Summit Lighthouse. Organización externa de la Gran Hermandad Blanca. Mark L. Prophet fundó The Summit Lighthouse en 1958 siguiendo las órdenes del Maestro Ascendido El Morya, con el fin de publicar las enseñanzas de los maestros ascendidos.

Tribunal Kármico. Está constituido por ocho maestros ascendidos y seres cósmicos, y también recibe el nombre de Señores del Karma. Estos son: el Gran Director Divino, la Diosa de la Libertad, la Maestra Ascendida Nada, el Elohim Ciclopea, Palas Atenea (Diosa de la Verdad), Porcia (Diosa de la Justicia) y Kuan Yin (Diosa de la Misericordia). Vairochana, buda de gran logro que nunca ha encarnado en la Tierra, en 1993 pasó a formar parte del Tribunal Kármico como octavo miembro. Los Señores del Karma dispensan justicia a este sistema de mundos, administrando karma, misericordia y juicio a cada alma. Véase también la voz *Señores del Karma*.

Tubo de luz. Luz blanca que desciende del corazón de la Presencia YO SOY en respuesta al llamado del individuo. Tiene alrededor de tres metros [nueve pies] de diámetro, y es un cilindro que se origina en la Presencia YO SOY y se extiende un metro [tres pies] por debajo de los pies de la persona. El tubo de luz actúa como un escudo de protección contra las energías negativas y se sostiene veinticuatro horas al día mientras uno sea capaz de mantener armonía en sus pensamientos, sentimientos y obras.

Yo Divino. Es el Yo Superior —la Presencia YO SOY y el Santo Ser Crístico—, el aspecto exaltado de la individualidad.

YO SOY EL QUE YO SOY. Es la Presencia individualizada de Dios en cada alma, la Presencia YO SOY.

Yo Superior. Presencia YO SOY y Santo Ser Crístico. Es la conciencia superior innata.

Zaratustra. El Maestro Ascendido Zaratustra encarnó en el profeta que fundó la religión zoroastriana entre los parsis en Persia, la zona que corresponde actualmente a Irán. Hacia el año 600 a.C., a la edad de 30 años, tuvo una serie de visiones de Ahura Mazda, el «Señor Sabio» o «Señor que otorga inteligencia» (el Anciano de Días, conocido en Oriente como Sanat Kumara y Karttikeya). Ahura Mazda reveló su nombre cuando Zaratustra le pidió: «Dime, oh Puro Ahura Mazda, Tu nombre más grande, mejor, más justo, y más eficaz para la oración.» Ahura Mazda respondió: «Mi primer nombre es YO SOY [...] y mi vigésimo nombre es YO SOY EL QUE YO SOY, Mazda.»

Sugerencias para ampliar el estudio

Los libros que se citan a continuación pueden ayudarte si deseas estudiar con mayor profundidad las materias que se han explicado en las lecciones.

ACTAS SOBRE LA ASCENSIÓN

Historia de la aceleración del alma a una conciencia superior en el sendero de iniciación

Serapis Bey

Una mirada profunda a la vida del alma, su propósito y destino. Claves prácticas para el crecimiento espiritual que pueden llevar al logro de la ascensión.

ALMAS COMPAÑERAS Y LLAMAS GEMELAS

Cómo influye el karma en las relaciones de pareja

Elizabeth Clare Prophet

Barcelona: Porcia Ediciones, 2014.

"Extremadamente poderosa al revelar los misterios internos del alma y la verdadera esencia del amor a través de su análisis perspicaz de experiencias de la vida real e historias de amor clásicas." —Marilyn Barrick.

ARCÁNGEL MIGUEL AYÚDAME

Elizabeth Clare Prophet

Barcelona: Porcia Ediciones, 2009.

Terrorismo. Guerra. Cambios en la Tierra. Crimen violento. Las amenazas para nuestras familias, naciones y medio ambiente son enormes. Ahora más que nunca, necesitamos al Arcángel Miguel. Este libro revolucionario te presentará al Arcángel Miguel y cómo puedes invocar su protección. Reverenciado en las tradiciones judía, cristiana e islámica, el Arcángel Miguel puede protegerte a ti y a tus seres queridos en tiempos de dificultad. Todo lo que necesitas saber es cómo pedir su ayuda. Este libro te muestra cómo hacerlo.

CONSIGUE LO QUE NECESITES DEL UNIVERSO

Accede al poder de tu Yo Superior

Elizabeth Clare Prophet

Barcelona: Porcia Ediciones, 2007.

Tu Yo Superior es tu Ser Real. El ser con el que te identificas hoy es solo una pequeña fracción del poderoso ser que eres. Aprende a conectarte con tu Yo Superior, cómo acceder a su energía ilimitada y cómo proteger y mantener este contacto a lo largo del día.

CREA CON EL SONIDO

Afirmaciones que curan y transforman

Elizabeth Clare Prophet

Barcelona: Porcia Ediciones, 2014.

Durante siglos, los místicos de Oriente y de Occidente han creído que el sonido crea la materia. Siete principios fundamentales para utilizar oraciones, afirmaciones, decretos y mantras para generar energía espiritual.

DISUELVE TUS PROBLEMAS

Llama violeta para curar cuerpo, mente y alma

Elizabeth Clare Prophet

Barcelona: Porcia Ediciones, 2014.

Describe cómo usar la llama violeta, una energía espiritual única de alta frecuencia, para aumentar la vitalidad y la espiritualidad, superar los obstáculos para la curación y transmutar la carga de experiencias traumáticas.

EL AURA HUMANA

Cómo activar y energizar tu aura y tus chakras

Kutumi y Djwal Kul

Gardiner, MT: Summit University Press, 2015.

En este libro, Kutumi revela los misterios del aura humana, desde el significado de sus colores hasta cómo puedes fortalecerla, purificarla, expandirla y protegerla. Djwal Kul revela la ciencia de los chakras y su relación con el aura.

EL CAMINO A LA INMORTALIDAD

Clases para el alma en el templo etérico de Lúxor

Annice Booth

Barcelona: Porcia Ediciones, 2004.

Este libro te ayudará a redescubrir lo que tu alma ha sabido desde el principio: que la vida tiene un propósito superior. Da forma a la sabiduría de los maestros ascendidos en una guía personal para la liberación de tu propia alma.

EL DISCÍPULO Y EL SENDERO

Claves para la maestría del alma en la era de Acuario

El Morya

Contiene instrucciones personales de El Morya para todos los buscadores espirituales y chelas (estudiantes de un maestro espiritual). Es fundamental para aquellos que no solo desean conocer su verdadero potencial, sino también cumplirlo.

LA CIENCIA DE LA PALABRA HABLADA

Mark L. Prophet y Elizabeth Clare Prophet

Madrid: Arkano Books, 1997.

Los autores presentan el mensaje más poderoso y profundo sobre técnicas de oración hablada que se encuentra impreso en la actualidad. Este importante trabajo explica cómo usar fórmulas redactadas para acceder al espectro completo de luz espiritual para la transformación personal y mundial.

LA RESPUESTA QUE BUSCAS ESTÁ DENTRO DE TI

Una guía llena de sentido común para el crecimiento espiritual

Mark L. Prophet

Barcelona: Porcia Ediciones, 2013.

Entrelaza anécdotas de la vida cotidiana con verdades universales para crear una guía profunda pero completamente agradable para el crecimiento espiritual. Mark Prophet, uno de los grandes maestros espirituales de nuestro tiempo, creía que nuestra búsqueda del sentido en la vida, aunque desafiante, debería ser divertida.

ORACIONES, MEDITACIONES Y DECRETOS DINÁMICOS

para la transformación personal y mundial

Mark L. Prophet y Elizabeth Clare Prophet

Summit University Press.

Tu manual completo de decretos para la acción personal y mundial. 500 páginas sueltas codificadas por colores, perforadas con tres agujeros.

REENCARNACIÓN

El eslabón perdido de la cristiandad

Elizabeth Clare Prophet y Erin L. Prophet

Madrid: Arkano Books, 1999.

Una obra provocativa que defiende la idea de que Jesús enseñó la reencarnación. Utilizando como prueba los pergaminos del Mar Muerto y textos gnósticos, los autores argumentan de manera convincente que Jesús fue un místico que enseñó que nuestro destino es unirnos con el Dios interior.

SAINT GERMAIN Y LOS SIETE ARCÁNGELES

Mensajes para la era de Acuario

Elizabeth Clare Prophet

Barcelona: Porcia Ediciones, 2001.

Este libro contiene una descripción de las profecías de Saint Germain para la era de Acuario, una explicación de tu Yo divino, la ciencia de la Palabra hablada, las vidas de Saint Germain y la misión de Saint Germain para el planeta tierra. El libro incluye algunos mensajes (dictados) de Saint Germain y los siete arcángeles que Elizabeth Clare Prophet dio en su gira por latinoamérica en el año 1996, en concreto en Buenos Aires, Bogotá y Porto Alegre, contiene también la meditación de los chakras, del Arcángel Gabriel, y cómo hacer de la era de Acuario una era de oro.

SEÑORES DE LOS SIETE RAYOS

Mark L. Prophet y Elizabeth Clare Prophet

Madrid: Arkano Books, 1998.

Cuenta las historias de siete místicos que alcanzaron y lograron la meta de la autotrascendencia en cada uno de los siete caminos iniciáticos o "rayos" de crecimiento espiritual.

Libritos

ÁNGELES

Librito de decretos

Elizabeth Clare Prophet

Palabras para decretos, mantras, canciones y bajans que celebran a los siete arcángeles y los siete rayos. Las páginas están codificadas por colores según los siete rayos.

DECRETOS DE CORAZÓN, CABEZA Y MANO

Elizabeth Clare Prophet

Un práctico librito de bolsillo con meditaciones, afirmaciones, mantras, oraciones y decretos para contactar y aumentar las cualidades divinas de poder, sabiduría y amor dentro de ti.

Folletos

FRATERNIDAD DE LOS GUARDIANES DE LA LLAMA

Proporciona información e incluye un formulario de inscripción para la Fraternidad de los Guardianes de la Llama, una sociedad interna de los maestros ascendidos. Como miembro de esta fraternidad no denominacional, recibirás treinta y tres lecciones mensuales y el patrocinio personal del Maestro Ascendido Saint Germain.

Otros libros

AUTOBIOGRAFÍA DE UN YOGUI
Paramahansa Yogananda
1ª impr. ed. bolsillo en español. Los Ángeles, California: Self-Realization Fellowship, 2001.
La fascinante vida espiritual de uno de los santos más amados, adoptado en Estados Unidos; la ley de la causa y efecto se va tejiendo en el libro.

HOW TO KNOW GOD
trad. de Swami Prabhavananda y Christopher Isherwood.
Hollywood, California: Vedanta Press, 1987.

KARMA-YOGA AND BHAKTI-YOGA
Swami Vivekananda
Nueva York: Ramakrishna-Vivekananda Center, 1982. Edición en inglés.
Las primeras cien páginas hablan de los efectos del karma en el carácter, de diversos particulares de la ley del karma y de la naturaleza del deber.

LIFE BEFORE LIFE («VIDA ANTES DE LA VIDA»)
Helen Wambach
Nueva York: Bantam Books, 1979.

LIFE BETWEEN LIFE («VIDA ENTRE VIDAS»)
Joel L. Whitton y Joe Fisher
Nueva York: Warner Books, 1986.

REINCARNATION
The Phoenix Fire Mistery
Joseph Head y S.L. Cranston, comp. y ed.
Nueva York: Crown Publishers, 1977

SALVADO POR LA LUZ
Dannion Brinkley
Madrid: Edaf, 1995

THE CHAKRAS
C.W. Leadbeater
ed. rev. Wheaton, Ill.: The Theosophical Publishing House

UN HABITANTE DE DOS PLANETAS
Phylos el Tibetano

Barcelona: Editorial Humanitas, 2012.

Dictado por Phylos, un maestro ascendido, a un amanuense, este libro desentraña la vida de Phylos en Atlantis y su siguiente encarnación en los Estados Unidos, narrando con sumo detalle las conexas circunstancias kármicas en ambas vidas.

VIDA DESPUÉS DE LA VIDA
Raymond A. Moody, Jr.

Madrid: Edaf.

Basado en las experiencias cercanas a la muerte de cien personas, este fascinante libro confirma que existe vida después de la muerte.

UNVEILED MYSTERIES (*«MISTERIOS DESVELADOS»*)
Godfré Ray King

Chicago: Saint Germain Press, 1982.

En el capítulo 8, Godfré describe la historia de la ascensión de David Lloyd.

Mark L. Prophet (1918–1973) y Elizabeth Clare Prophet (1939–2009) fueron pioneros visionarios de la espiritualidad moderna y autores de renombre internacional. Sus libros se publican en más de 30 idiomas y se han vendido millones de copias en línea y en librerías de todo el mundo.

Juntos, construyeron una organización espiritual mundial que está ayudando a miles a encontrar la salida de los problemas humanos y reconectarse con su divinidad interior. Recorrieron el camino del adepto espiritual, avanzando a través de las iniciaciones universales comunes a los místicos tanto de Oriente como de Occidente. Enseñaron sobre este camino y describieron sus propias experiencias para el beneficio de todos los que desean progresar espiritualmente.

Mark y Elizabeth dejaron una extensa biblioteca de enseñanzas espirituales de los maestros ascendidos y una próspera comunidad mundial de personas que estudian y practican estas enseñanzas.